明趙府居敬堂本《素問》（下）

主編◎錢超塵
副主編◎王育林　劉陽

《黄帝内經》版本通鑒
第一輯

北京科学技术出版社

《黄帝内經》版本通鑒・第一輯

明趙府居敬堂本《素問》（下）

補註釋文黄帝内經素問卷之十二

○六元正紀大論篇第七十一

黄帝問曰六化六變勝復淫治甘苦辛鹹酸淡先後余知之矣夫五運之化或從五氣新校正云詳五氣疑作天氣則與下文相叶或逆天氣或從天氣而逆地氣或從地氣而逆天氣或相得或不相得余未能明其事欲通天之紀從地之理和其運調其化使上下合德無相奪倫天地升

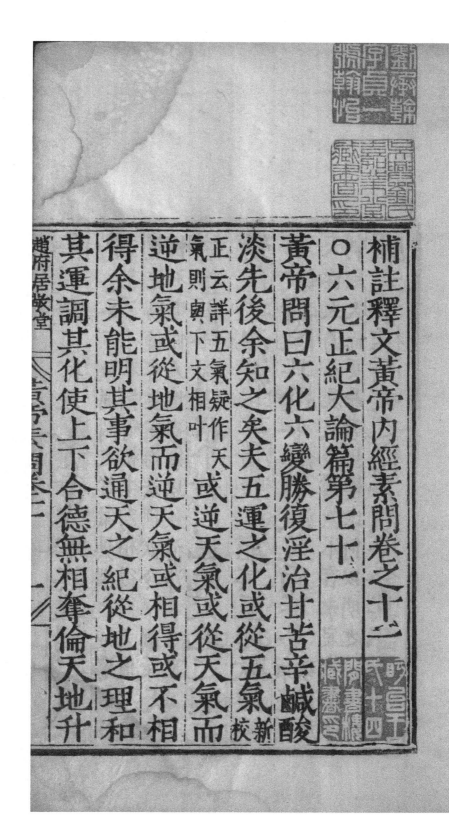

風其化鳴紊啓拆新校正云按五常政大論云其德鳴靡啓坼

其變振拉摧拔新校正云詳此其運化其變從大角等運起其

病眩掉目瞑新校正云詳此病證以運加司天地爲言

大角初正 少徵 大宮 少商 大羽終

太陽 大徵 太陰 戊辰 戊戌同正徵

新校正云按五常政大論云赫曦之紀上羽與正徵同 其運熱 其

化暄暑鬱燠新校正云按五常政大論云燠作蒸 其變炎烈

沸騰 其病熱鬱

大徵　少宮　大商　少羽終　少角初

太陽　太宮　太陰　甲辰歲會同天符　甲戌

歲會同天符新校正云按天元紀大論云承歲爲歲直又六微旨大論云木運臨卯火運臨午土運臨四季金運臨酉水運臨子所謂歲會氣之平也王冰云歲直亦曰歲會此甲爲大宮辰戌爲四季故曰歲會又云同天符者按本論下文云大過而加同天符是此歲一爲歲會又爲同天符也　其運陰埃新校正云詳大宮三運雨日陰雨獨此日陰埃埃疑作雨　其化柔順重澤新校正云按五常政大論云澤作淖　其變震驚飄驟　其病濕下

重

大宮 少商 大羽終 大角初 少徵

太陽 大商 太陰 庚辰 庚戌 其運

涼其化霧露蕭飋 其變肅殺凋零 其

病燥背瞀胷滿

大商 少羽終 少角初 大徵 少宮

太陽 大羽新校正云按五常政大論云上羽而長氣不化 太陰

丙辰天符 丙戌天符新校正云按天元紀大論云應天爲天

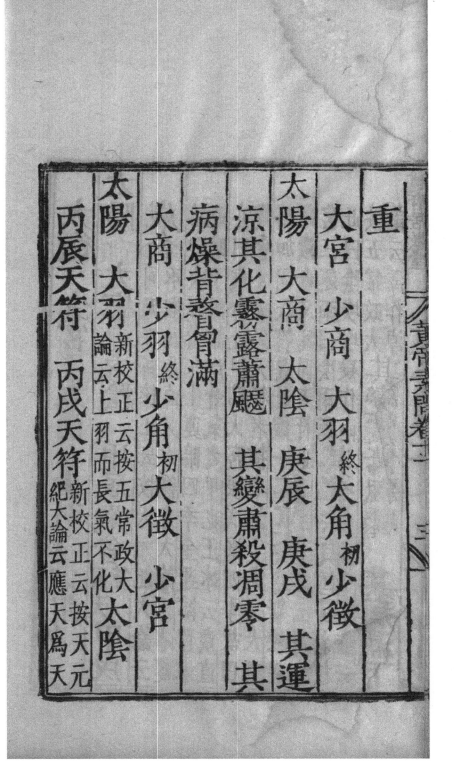

符又六微旨大論云土運之歲上見太陰火運之歲上見少陽少陰金運之歲上見陽明木運之歲上見厥陰水運之歲上見太陽曰天與之會故曰天符又本論下文云五運同行天化者命曰天符又云臨者太過不及皆曰天符其運寒新校正云詳太羽三運此為上羽少陽少陰司天為大徵而少陽司天運言寒肅此與少陰司天運言其運寒者疑此太陽司天運合大羽當言其運寒肅少陽少陰司天運當云其運寒也其化凝慘凓列新校正云按五常政大論云作凝慘寒雰其變冰雪霜雹　其病大寒留於谿谷

大羽終　大角　少徵　大宮　少商

凡此太陽司天之政氣化運行先天六步之氣生長化成收藏皆先天時而應至也餘歲先天同之也天氣肅地氣靜寒臨太虛陽氣不令水土合德上應辰星鎮星明而大也其穀玄黅天地正氣之所生長化成也黅黃也其政肅其令徐寒政大舉澤無陽燄則火發待時寒甚則火鬱待四氣乃發暴爲炎熱也少陽中治時雨乃涯止極雨散還於太陰雲朝北極濕化迺布北極雨府也澤流萬物寒敷于上雷動于下寒濕之氣持於

氣交歲氣之大體也民病寒濕發肌肉萎足萎不收濡寫血溢新校正云詳血溢者火發待時所為之病也初之氣地氣遷氣迺大溫畏火致之草迺早榮民迺厲溫病迺作身熱頭痛嘔吐肌腠瘡瘍赤班也是為膚腠中瘡在皮內也二之氣大涼反至民迺慘草迺遇寒火氣遂抑民病氣鬱中滿寒迺始自涼而反之於寒氣故寒氣始來近人也三之氣天政布寒氣行雨迺降民病寒反熱中癰疽注下心熱瞀悶不治者死當寒

反熱是反天常熱起於心則神之危亟不急扶救神必消亡故治者則生不治則死四之氣風濕交爭風化爲雨迺長迺化迺成民病大熱少氣肌肉萎足萎注下赤白五之氣陽復化草迺長迺化迺成民迺舒大火臨御故萬物舒榮終之氣地氣正濕令行陰凝太虛埃昏郊野民迺慘悽寒風以至反者孕迺死故歲宜苦以燥之温之新校正云詳故歲宜苦以燥之温之九字當在避虛邪以安其正下錯簡在此必折其鬱氣先資其化源化源謂九月迎

而取之以補心火○新校正云詳水將勝也先於九月迎取其化源先寫腎之源也蓋以水王十月故先於九月迎而取之寫水所以補火也抑其運氣扶其不勝大角歲脾不勝大徵歲肺不勝大宮歲腎不勝大商歲肝不勝大羽歲心不勝歲之宜也如此然太陽司天五歲之氣通宜先助心後扶腎氣無使暴過而生其疾木過則脾病生火過則肺病生土過則腎病生金過則肝病生水過則心病生天地之氣過亦然也食歲穀以全其真避虛邪以安其正歲穀謂黃色黑色穀也虛邪謂從衝後來之風也適氣同異多少制之同寒濕者燥熱化異寒濕者燥濕化大宮

大商大羽歲同寒濕宜治以燥熱化大角大徵歲異寒濕宜治以燥濕化故同者多之異者少之多謂燥熱少謂燥濕氣用少多隨其歲也用寒遠寒用涼遠涼用溫遠溫用熱遠熱食宜同法有假者反常反是者病所謂時也時謂春夏秋冬及間氣所在同則遠之卽雖其時若六氣臨御假寒熱溫涼以除疾病者則勿遠之如太陽司天寒爲病者假熱以療則熱用不遠夏餘氣例同故曰有假反常也食同藥法爾若無假反法則爲病之媒非方制養生之道○新校正云按用寒遠寒及有假者反常等事下文備矣帝曰善陽明之政奈何岐伯曰卯酉之紀也

陽明　少角　少陰　清熱勝復同　同正商清勝少角熱復清氣故曰清熱勝復同也餘少運皆同也同正商者上見陽明上商與正商同言歲木不及也餘準此○新校正云按五常政大論云委和之紀上商與正商同

丁卯歲會　丁酉　其運風清熱不及之運常兼熱復之氣言之風運氣也清勝氣也熱復氣也餘少運悉同

少角初正　大徵　少宮　大商　少羽終

陽明　少徵　少陰　寒雨勝復同　同正商新校正云按伏明之紀上商與正商同　癸卯同歲會　癸酉同歲會○

新校正云按本論下文云不及而加同歲會此運少徵爲不及下加少陰故云同歲會

其運熱寒雨

少徵 太宮 少商 太羽終 太角初

陽明 少宮 少陰 風涼勝復同 己卯

己酉 其運風雨涼

少宮 太商 少羽終 少角初 太徵

陽明 少商 少陰 熱寒勝復同 同正商

新校正云按五常政大論云從革之紀上商與正商同

乙卯 天符

乙酉歲會太一天符新校正云按天元紀大論云三合爲治又六微旨大論云天符歲會曰太一天符王冰云是謂三合一者天會二者歲會三者運會或云此歲三合曰太一天符不當更曰歲會者甚不然也乙酉本爲歲會又爲太一天符歲會之名不可去也或云巳丑已未戊午何以不連言歲會而單言太一天符曰舉一隅不以三隅反舉一則三者可知去之則是太一天符不爲歲會也故曰不可去也其運涼熱寒

少商　大羽終　大角初　少徵　大宮

陽明　少羽　少陰　雨風勝復同　辛卯

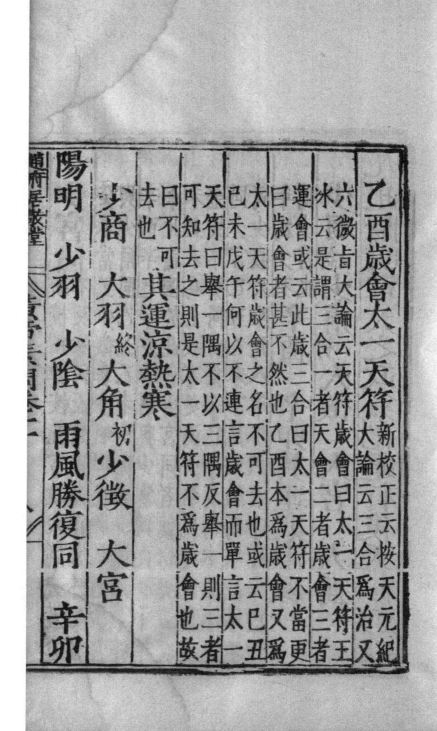

少宮同新校正云按五常政大論云五運不及除同正角正商正宮外癸丑癸未當云少徵與少羽同巳卯巳酉少宮與少角同乙丑乙未少商與少徵同辛卯辛酉辛巳辛亥少羽與少宮同合有十年今此論獨於此言少宮同者蓋以癸丑癸未丑未爲土故不更同少羽巳卯巳酉爲金故不更同少角辛巳辛亥爲木故不更同少宮乙丑乙未下見太陽爲水故不更同少徵又除此八年外只有辛卯辛酉二年爲少羽同少宮也 辛酉 辛卯其運寒雨風

少羽終 少角初 大徵 大宮 大商

凡此陽明司天之政氣化運行後天六步之氣生長

（化成庶務動靜皆後天時而應餘少歲同）天氣急地氣明陽專其令炎暑大行物燥以堅淳風迺治風燥橫運流於氣交多陽少陰雲趨雨府濕化迺敷（雨府太陰之所在也）燥極而澤（燥氣欲終則化爲雨澤是爲三氣之分也）其穀白丹（天地正氣所化生也）間穀命大者（命大者謂前文大角商等氣之化者間氣化生故云間穀也○新校正云按玄珠云歲穀與間穀者何即在泉爲歲穀及在泉之左右間者皆爲歲穀其司天及運間而化者名間穀又別有一名間穀者是也化不及即反所勝而生者故名間穀即邪氣之化又名並化之穀也亦名間穀與王注頗異

其耗白甲品羽白色中蟲多品羽類有羽翼者耗散粢盛蟲鳥甲兵歲爲災以耗竭物類金火合德上應太白熒惑見大而明其政切其令暴蟄蟲迺見流水不冰民病欬嗌塞寒熱發暴振慄癃閟清先而勁毛蟲迺死熱後而暴介蟲迺殃其發暴勝復之作擾而大亂金先勝木已承害故毛蟲死火後勝金不勝故介蟲復殃勝而行殺弱者已亡復者後來強者又死非大亂氣其何謂也清熱之氣持於氣交初之氣地氣遷陰始凝氣始肅水迺冰寒雨化其

病中熱脹面目浮腫善眠鼽衄嚏欠嘔小便黃赤甚則淋太陰之化○新校正云詳氣肅水冰疑非太陰之化二之氣陽迺布民迺舒物迺生榮厲大至民善暴死臣位君故爾三之氣天政布涼迺行燥熱交合燥極而澤民病寒熱寒熱瘧也四之氣寒雨降病暴仆振慄譫妄少氣嗌乾引飲及爲心痛癰腫瘡瘍瘧寒之疾骨痿血便骨痿無力五之氣春令反行草迺生榮民氣和終之氣陽氣布候

反温蟄蟲來見流水不冰民廼康平其病温君之化也故食歲穀以安其氣食間穀以去其邪歲宜以鹹以苦以辛汗之清之散之安其運氣無使受邪折其鬱氣資其化源化源謂六月迎而取之也○新校正云按金王七月故迎於六月寫金氣以寒熱輕重少多其制同熱者多天化同清者多地化少角少徵歲同熱用方多以天清之化治之少宮少商少羽歲同清用方多以地熱之化治之火在地故同清者多地化金在天故同熱者多天化用凉遠凉用熱遠熱用

寒遠寒用温遠温食宜同法有假者反之此其道也反之者亂天地之經擾陰陽之紀也

帝曰善少陽之政奈何岐伯曰寅申之紀也

少陽　大角新校正云按五常政大論云上徵則其氣逆　厥陰

壬寅同天符　壬申同天符　其氣風鼓新校正云詳風火合勢故其運風鼓少陰司天大角運亦同　其化鳴紊啓拆新校正云按五常政大論云其德鳴靡啓折　其變振拉摧拔　其病掉眩支脇驚駭

大角初正 少徵 大宮 少商 大羽終

少陽 大徵 厥陰新校正云按五常政大論云上徵而收氣後

戊寅天符 戊申天符 其運暑 其化

暄囂鬱燠新校正云按五常政大論作暄暑鬱燠此變暑爲囂者以上臨少陽故也 其變炎烈沸騰 其病上熱鬱血溢

血泄心痛

大徵 少宮 大商 少羽終 少角初

少陽 大宮 厥陰 甲寅 甲申 其運

陰雨　其化柔潤重澤　其變震驚飄驟

其病體重胕腫痞飲

大宮　少商　大羽終　大角初　少徵

少陽　大商　厥陰　庚寅　庚申　同正

商新校正云按五常政大論堅成之紀上徵與正商同其運涼　其

化霧露清切新校正云按五常政大論云霧露蕭瑟又大商三運兩言蕭飋獨此言清切詳此下如厥陰當此蕭飋其變肅殺凋零

其病肩背胷中

大商　少羽終　少角初　大徵　少宮

少陽　大羽　厥陰　丙寅　丙申　其運寒肅新校正云詳此運不當言寒肅以注大陽司天大羽運中其化凝慘凓列新校正云按五常政大論云作疑慘寒雰其變冰雪霜雹　其病寒浮腫

大羽終　大角初　少徵　大宮　少商

凡此少陽司天之政氣化運行先天天氣正新校正云詳少陽司天太陰司地正得天地之正又厥陰少陽司地各云得其正者以地

主生榮爲言也本或作天氣止者少陽火之性用動躁云止義不通地氣擾風

廼暴舉木偃沙飛炎火廼流陰行陽化雨廼

時應火木同德上應熒惑歲星見明而大○新校正云詳

六氣惟少陽厥陰司天司地爲上下通和無相勝剋故言火木同德餘氣皆有勝剋故言

合德其穀丹蒼其政嚴其令擾故風熱參布雲

物沸騰太陰橫流寒廼時至涼雨並起民病

寒中外發瘡瘍內爲泄滿故聖人遇之和而

不爭往復之作民病寒熱瘧泄聾瞑嘔吐上

怫腫色變初之氣地氣遷風勝迺搖寒迺去
候迺大温草木早榮寒來不殺温病迺起其
病氣怫於上血溢目赤欬逆頭痛血崩今詳崩字
當作崩脇滿膚腠中瘡少陰之化二之氣火反鬱太陰
分故爾白埃四起雲趨雨府風不勝濕雨迺零
民迺康其病熱鬱於上欬逆嘔吐瘡發於中
胷嗌不利頭痛身熱昏憒音會膿瘡三之氣天
政布炎暑至少陽臨上雨迺涯民病熱中聾

瞑血溢膿瘡欬嘔鼽衄渴嚏欠喉痺目赤善暴死四之氣涼迺至炎暑間化白露降民氣和平其病滿身重五之氣陽迺去寒迺來雨迺降氣門迺閉新校正云按王注生氣通天論氣門玄府也所以發泄經脉榮衛之氣故謂之氣門剛木早凋民避寒邪君子周密終之氣地氣正風迺至萬物反生霿霧以行其病關閉不禁心痛陽氣不藏而欬抑其運氣贊所不勝必折其鬱氣先取化源化源年之前十

二月迎而取之○新校正云詳王注資取化源俱注云取其意有四等太陽司天取九月陽明司天取六月是二者先取在天之氣也少陽司天取年前十二月太陰司天取九月是二者乃先時取在地之氣也少陰司天取年前十二月厥陰司天取四月義不可解按玄珠之說則不然太陽陽明之月與王注合少陽少陰俱取三月太陰取五月厥陰取年前十二月玄珠之義可解王注之月疑有誤也暴過不生苛疾不起苛重也○新校正云詳此不言食歲穀間穀者蓋此歲天地氣正上下通和故不言也故歲宜鹹宜辛宜酸滲之泄之漬之發之觀氣寒溫以調其過同風熱者多寒化異風熱

者少寒化大角大徵歲同風熱以寒化多之大宮大商大羽歲與風熱以涼調其過也用熱遠熱用溫遠溫用寒遠寒用涼遠涼食宜同法此其道也有假者反之反是者病之階也帝曰善太陰之政奈何岐伯曰丑未之紀也

太陰　少角　太陽　清熱勝復同　同正宮新校正云按五常政大論云委和之紀上宮與正宮同　丁丑　丁未　其運風清熱

少角初正 大徵 少宮 大商 少羽終

太陰 少徵 太陽 寒雨勝復同 癸丑

癸未 其運熱寒雨

少徵 大宮 少商 大羽終 大角

太陰 少宮 太陽 風清勝復同 同正

宮新校正云按五常政大論云卑監之紀上宮與正宮同 己丑太一

天符 己未太一天符 其運雨風清

少宮 大商 少羽終 少角初 大徵

太陰　少商　太陽　熱寒勝復同　乙丑　乙未　其運涼熱寒

少商　大羽終　太角初　少徵　大宮

太陰　少羽　太陽　雨風勝復同　同正宮新校正云按五常政大論云涸流之紀上宮與正宮同或以此二歲爲同歲會爲平水運欲去同正宮三字者非也蓋此歲有二義而輙去其一甚不可也　辛丑同歲會　辛未同歲會　其運寒雨風

少羽終　少角初　大徵　少宮　大商

凡此太陰司天之政氣化運行後天萬物生長化成皆後天時而生成也陰專其政陽氣退辟大風時起新校正云詳此太陰之政何以言大風時起蓋厥陰爲初氣居木位春氣正風廼來故言大風時起天氣下降地氣上騰原野昏霿白埃四起雲奔南極寒雨數至物成於差夏南極雨府也差夏謂立秋之後一十日也民病寒濕腹滿身䐜憤胕腫痞逆寒厥拘急濕寒合德黃黑埃昏流行氣交上應鎮星辰星見大而明其政肅其令寂其穀黅玄

正氣所生成也故陰凝於上寒積於下寒水勝火則爲冰雹陽光不治殺氣迺行黃黑昏埃是謂殺氣自北及西流行於東及南也故有餘宜高不及宜下有餘宜晚不及宜早土之利氣之化也民氣亦從之間穀命其太也以間氣之大者言其穀也初之氣地氣遷寒迺去春氣至風迺來生布萬物以榮民氣條舒風濕相薄雨迺後民病血溢筋絡拘強關節不利身重筋痿二之氣大火正物承化民

迺和其病溫厲大行遠近咸若濕蒸相薄雨迺時降應順天常不愆時候謂之時雨○新校正云詳此以少陰居君火之位故言大火也三之氣天政布濕氣降地氣騰雨迺時降寒迺隨之感於寒濕則民病身重胕腫胷腹滿四之氣畏火臨溽蒸化地氣騰天氣否隔寒風曉暮蒸熱相薄草木凝煙濕化不流則白露陰布以成秋令萬物得之以成民病腠理熱血暴溢瘧心腹滿熱臚脹甚則胕腫五之氣

慘令已行寒露下霜迺早降草木黃落寒氣及體君子周密民病皮腠終之氣寒大舉濕大化霜迺積陰迺凝水堅冰陽光不治感於寒則病人關節禁固腰脽痛寒濕持於氣交而爲疾也必折其鬱氣而取化源九月化源近而取之以補益也益其歲氣無使邪勝食歲穀以全其眞食間穀以保其精故歲宜以苦燥之溫之甚者發之泄之不發不泄則濕氣外溢肉潰皮

折而水血交流必贊其陽火令御甚寒冬之分五用五步量氣用之也從氣異同少多其判也通言歲運之同異也同寒者以熱化同濕者以燥化少宮少商少羽歲同寒少宮歲又同濕濕過故宜燥寒過故宜熱少角少徵歲平和處之也異者少之同者多之用涼遠涼用寒遠寒用溫遠溫用熱遠熱食宜同法假者反之此其道也反是者病也帝曰善少陰之政奈何岐伯曰子午之紀也

少陰　大角新校正云按五常政大論云上徵則其氣逆　陽明

壬子　壬午　其運風鼓　其化鳴紊啓

坼新校正云按五常政大論云其德鳴靡啓坼　其變振拉摧拔

其病支滿

大角初正　少徵　大宮　少商　大羽終

少陰　大徵新校正云按五常政大論云上徵而收氣後　陽明

戊子天符　戊午太一天符　其運炎暑

新校正云詳大徵運太陽司天曰熱少陽司天曰暑少陰司天曰炎暑兼司天之氣

而言運也其化暄曜鬱燠新校正云按五常政大論作暄暑鬱燠此變暑爲曜者以上臨少陰故也其變炎烈沸騰其病上熱血溢

大徵 少宮 大商 少羽終 少角初

少陰 大宮 陽明 甲子 甲午 其運陰雨 其化柔潤時雨新校正云按五常政大論云柔潤重淖又大宮三運兩作柔潤重澤此時雨二字疑誤其變震驚飄驟

其病中滿身重

大宮　少商　大羽終　大角初　少徵

少陰　大商　陽明　庚子同天符　庚午同天符

同正商新校正云按五常政大論云堅成之紀上徵與正商同　其運

涼勁新校正云詳此以運合在泉故云涼勁　其化霧露蕭飋

其變肅殺凋零　其病下清

大商　少羽　少角初　大徵　少宮

少陰　大羽　陽明　丙子歲會　丙午

其運寒　其化凝慘凓冽新校正云按五常政大論作凝

慄寒雰其變冰雪霜雹　其病寒下

大羽終　大角初　少徵　大宮　少商

凡此少陰司天之政氣化運行先天天地氣肅天氣明寒交暑熱加燥新校正云詳此云寒交暑者謂前歲終之氣少陽太陽歲初之氣太陽太陽寒交前歲少陽之暑也熱加燥者少陰在上而陽明在下也雲馳雨府濕化迺行時雨迺降金火合德上應熒惑太白見而明大其政明其令切其穀丹白水火寒熱持於氣交而為病始也熱病

生於上清病生於下寒熱淩犯而爭於中民病欬喘血溢血泄鼽嚏目赤眥瘍寒厥入胃心痛腰痛腹大嗌乾頥上初之氣地氣遷燥將去新校正云按陽明在泉之前歲爲少陽少陽者暑暑往而陽明在地太陽初之氣故上文寒交暑是暑去而寒始也此燥字乃暑字之誤也寒迺始蟄復藏水迺冰霜復降風迺至新校正云按王注六微旨大論太陽居木位爲寒風切列此風乃至常作風迺列陽氣鬱民反周密關節禁固腰脽痛炎暑將起中外瘡瘍二之氣

陽氣布風迺行春氣以正萬物應榮寒氣時
至民迺和其病淋目瞑目赤氣鬱於上而熱
三之氣天政布大火行庶類蕃鮮寒氣時至
民病氣厥心痛寒熱更作欬喘目赤四之氣
溽暑至大雨時行寒熱互至民病寒熱嗌乾
黃癉鼽衄飲發五之氣畏火臨暑反至陽迺
化萬物迺生迺長榮民迺康其病溫終之氣
燥令行餘火內格腫於上欬喘甚則血溢寒

氣數舉則霧霿鬱病生皮腠內舍於脇下連少腹而作寒中地將易也氣終則遷何可長也必抑其運氣資其歲勝折其鬱發先取化源先於年前十二月迎而取之無使暴過而生其病也食歲穀以全眞氣食間穀以辟虛邪歲宜鹹而耎之而調其上甚則以苦發之以酸收之而安其下甚則以苦泄之適氣同異而多少之同天氣者以寒清化同地氣者以溫熱化大角大徵歲同天氣宜以

寒清治之大宮大商大羽歲同地氣宜以溫熱治之化治也用熱遠熱用
涼遠涼用溫遠溫用寒遠寒食宜同法有假
則反此其道也反是者病作矣帝曰善厥陰
之政奈何岐伯曰巳亥之紀也
厥陰　少角　少陽　清熱勝復同　同正
角新校正云按五常政大論云委和之紀上角與正角同　丁巳天符
丁亥天符　其運風清熱
少角初正　大徵　少宮　太商　少羽終

厥陰　少徵　少陽　寒雨勝復同　癸巳
同歲會　癸亥同歲會　其運熱寒雨
少徵　大宮　少商　大羽終　大角初
厥陰　少宮　少陽　風清勝復同　同正
角新校正云按五常政大論云卑監之紀上角與正角同　己巳　己
亥　其運雨風清
少宮　大商　少羽終　少角初　大徵
厥陰　少商　少陽　熱寒勝復同　同正

角新校正云按五常政大論云從革之紀上角與正角同 乙巳 乙
亥 其運涼熱寒
少商 大羽終 大角初 少徵 大宮
厥陰 少羽 少陽 雨風勝復同 辛巳
辛亥 其運寒雨風
少羽終 少角初 大徵 少宮 大商
凡此厥陰司天之政氣化運行後天諸同正
歲氣化運行同天太過歲運化氣行先天時不及歲化生成後天時同

正歲化生成與天二十四氣遲速同無先後也○新校正云詳此註云同正歲與二十四氣同疑非恐是與大寒日交司氣候同天氣擾地氣正風生高遠炎熱從之雲趨雨府濕化迺行風火同德上應歲星熒惑其政撓其令速其穀蒼丹間穀言大者其耗文角品羽風燥火熱勝復更作蟄蟲來見流水不冰熱病行於下風病行於上風燥勝復形於中初之氣寒始肅殺氣方至民病寒於右之下二之氣寒不去華雪

水冰殺氣施化霜迺降名草上焦寒雨數至
陽復化民病熱於中三之氣天政布風迺時
舉民病泣出耳鳴掉眩四之氣溽暑濕熱相
薄爭於左之上民病黃癉而爲胕腫五之氣
燥濕更勝沈陰迺布寒氣及體風雨迺行終
之氣畏火司令陽迺大化蟄蟲出見流水不
冰地氣大發草迺生人迺舒其病溫厲必折
其鬱氣資其化源化源四月也迎而取之贊其運氣無

使邪勝歲宜以辛調上以鹹調下畏火之氣無妄犯之新校正云詳此運何以不言適氣同異少多之制者蓋厥陰之政與少陽之政同六氣分政惟厥陰與少陽之政上下無剋罰之異治化惟一故不再言同風熱者多寒化異風熱者少寒化也用溫遠溫用熱遠熱用涼遠涼用寒遠寒食宜同法有假反常此之道也反是者病帝曰善夫子言可謂悉矣然何以明其應乎歧伯曰昭乎哉問也夫六氣者行有次止有位故常以正月朔日平旦視之

覩其位而知其所在矣陰之所在天應以雲陽之所在天應以清淨自然分布象見不差運有餘其至先運不及其至後先後者寅時之先後也先則丑後後則卯初此天之道氣之常也天道昭然當期必應見無差失是氣之常運非有餘非不足是謂正歲其至當其時也當時謂當寅之正也帝曰勝復之氣其常在也災眚時至候也奈何岐伯曰非氣化者是謂災也十二變備矣帝曰天地之數終始奈何岐伯曰悉乎哉問也是明道也數之

始起於上而終於下，歲半之前天氣主之，歲半之後地氣主之，歲半謂立秋之日也○新校正云詳初氣交司在前歲大寒日歲半當在立秋前一氣之十五日不得云立秋之日也上下交互，氣交主之，歲紀畢矣。交互互體也上體下體之中有二互體也故曰位明氣月可知乎，所謂氣也。大凡一氣主六十日而有奇以立位數之位同一氣則月之節氣中氣可知也故言天地氣者以上下體言勝復者以氣交言橫運者以上下互皆以節氣準之候之災眚變復可期矣帝曰：余司其事則而行之，不合其數何也？岐伯曰：氣用有多少化洽有盛衰衰盛多少同其化也帝曰願聞同化何如歧伯曰風温春化同熱曛昏火夏化同勝與復同燥清煙露秋化同雲雨昏暝埃長夏化同寒氣霜雪冰冬化同此天地五運六氣之化更用盛衰之常也帝曰五運行同天化者命曰天符余知之矣願聞同地化者何謂也歧伯曰太過而同天化者三不及而同地化者亦三太過而同地化者

三不及而同地化者亦三此凡二十四歲也六十年中同天地之化者凡二十四歲餘悉隨已多少帝曰願聞其所謂也岐伯曰甲辰甲戌大宮下加太陰壬寅壬申大角下加厥陰庚子庚午大商下加陽明如是者三癸巳癸亥少徵下加少陽辛丑辛未少羽下加太陽癸卯癸酉少徵下加少陰如是者三戊子戊午大徵上臨少陰戊寅戊申大徵上臨少陽丙辰丙戌大羽上臨太

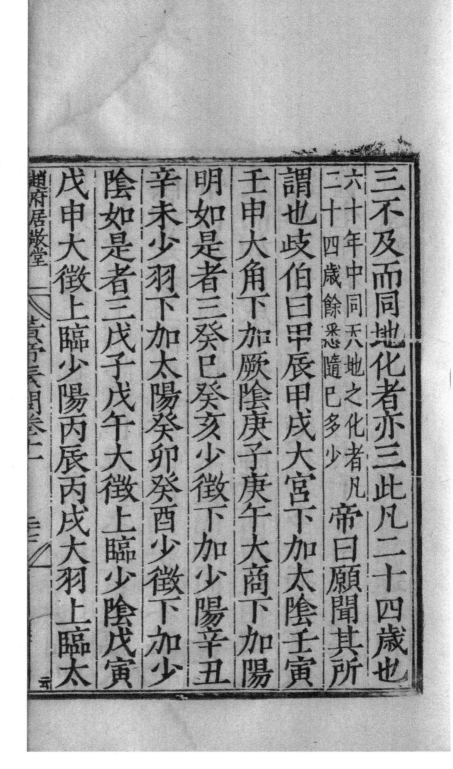

陽如是者三丁巳丁亥少角上臨厥陰乙卯
乙酉少商上臨陽明巳丑巳未少宮上臨太
陰如是者三除此二十四歲則不加不臨也
帝曰加者何謂岐伯曰太過而加同天符不
及而加同歲會也帝曰臨者何謂岐伯曰太
過不及皆曰天符而變行有多少病形有微
甚生死有早晏耳帝曰夫子言用寒遠寒用
熱遠熱余未知其然也願聞何謂遠岐伯曰

熱無犯熱寒無犯寒從者和逆者病不可不敬畏而遠之所謂時與六位也（四時氣王之月藥及食衣寒熱温涼同者皆宜避之差四時同犯則以水濟水以火助火病必生也）帝曰温涼何如（温涼減於寒熱可輕犯之乎）岐伯曰司氣以熱用熱無犯司氣以寒用寒無犯司氣以涼用涼無犯司氣以温用温無犯間氣同其主無犯異其主則小犯之是謂四畏必謹察之帝曰善其犯者何如（須犯者）岐伯曰天氣反時則可

依時反甚爲病則可依時及勝其主則可犯夏寒甚則可以熱犯熱寒氣不甚則不可犯之以平爲期而不可過氣平則止過則病生過而病生與犯同也是謂邪氣反勝者氣動有勝是謂邪客勝於主不可不禦也六步之氣於六位中應寒反熱應熱反寒應温反涼應涼反温是謂六步之邪勝也差冬反温差夏反冷差秋反熱差春反涼是謂四時之邪勝也勝則反其氣以平之故曰無失天信無逆氣宜無翼其勝無贊其復是謂至治天信謂至時必定翼贊皆佐之謹守天信是謂至眞妙理也

帝曰善五運氣行主歲之紀其有常數乎歧

伯曰臣請次之

甲子　甲午歲

上少陰火　中太宫土運　下陽明金

熱化二（新校正云詳對化從標成數正化從本生數甲子之年熱化七燥化九甲午之年熱化二燥化四）雨化五（新校正云按本論正文云太過不及其數何始太過者其數成不及者其數生上常以生也甲年大宫土運大過故言雨化五五土數也）燥化四　所謂正化日也（正氣化也）其化上鹹寒中苦熱下酸熱所謂藥食宜也

新校正云按玄珠云下苦熱又按至眞要大論云熱淫所勝平以鹹寒燥淫于内治以苦温此云下酸熱疑誤也

乙丑　乙未歲

上太陰土　中少商金運　下太陽水

熱化　寒化勝復同　所謂邪氣化日也

災七宮新校正云詳七宮西室兌位天任司也災之方以運之當方言濕化五新校正云詳太陰正司於未對司於丑其化皆五以生數也不以成數者土王四季不得正方又天有九宮不可至七清化四新校正云按本論下

文云不及者其數生乙年少商金運不及故言清化四四金生數也寒化六新校正云詳乙丑寒化六乙未寒化一所謂正化日也其化上苦熱中酸和下甘熱所謂藥食宜也新校正云按玄珠云上酸平下甘温又按至眞要大論云濕淫所勝平以苦熱寒淫于內治以甘熱

丙寅　丙申歲新校正云詳丙申之歲申金生水水化之令轉盛司天相火爲病減半

上少陽相火　中大羽水運　下厥陰木

火化二新校正云詳丙寅火化二丙申火化七寒化六風化三新校正云詳丙寅風化八丙申風化三所謂正化日也其化上鹹寒中鹹溫下辛溫所謂藥食宜也新校正云按玄珠云下辛涼又按至眞要大論云火淫所勝平以鹹冷風淫于內治以辛涼

丁卯歲會丁酉歲新校正云詳丁年正月壬寅爲干德符便爲平氣勝復不至運同正角金不勝木木亦不災上又丁卯年得卯木佐之卽上陽明不能災之

上陽明金　中少角木運　下少陰火

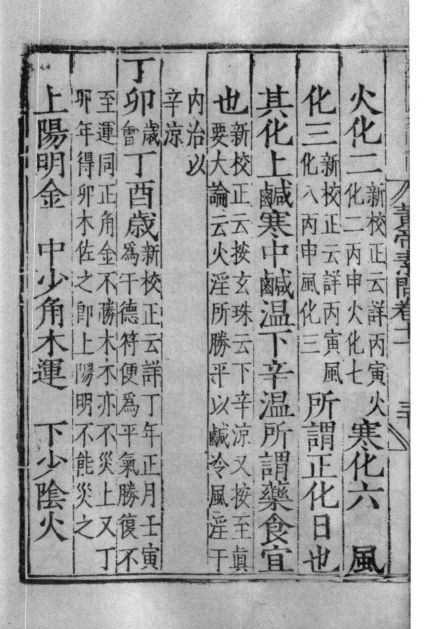

清化　熱化勝復同　所謂邪氣化日也
災三宮新校正云詳三宮東室震位天衝司燥化九新校正詳丁卯燥化九丁酉燥化四風化三　熱化七新校正詳丁卯熱化二丁酉熱化七所謂正化日也　其化上苦小溫中辛和下鹹寒所謂藥食宜也新校正云按至眞要大論云燥淫所勝平以苦熱熱淫于內治以鹹寒又玄珠云上苦熱

戊辰　戊戌歲
上太陽水　中大徵火運新校正云詳此上見太陽火化

減半

下太陰土　寒化六新校正云詳戊辰寒化六戊戌寒化一

熱化七　濕化五　所謂正化日也

其化上苦温中甘和下甘温所謂藥食宜

也新校正云按至眞要大論云寒淫所勝平以辛熱濕淫于内治以苦熱又玄珠云上甘温下酸平

己巳　己亥歲

上厥陰木　中少宮土運新校正云詳至九月甲戌月已得甲戌方還正宮

下少陽相火　風化　清化勝

復同　所謂邪氣化日也　災五宮新校正云按五常政大論云其眚四維又天元玉冊云中室天禽同非離宮同正宮奇位二宮坤位風化三新校正云詳巳巳風化八巳亥風化三濕化五火化八新校正云詳巳巳熱化七巳亥熱化三所謂正化日也其化上辛涼中甘和下鹹寒所謂藥食宜也新校正云按至眞要大論云風淫所勝平以辛涼火淫于內治以鹹冷

庚午同天符　庚子歲同天符

上少陰火　中太商金運新校正云詳庚午金令減半以上見少陰君火年午亦爲火故也庚子年子是水金氣相得與庚午年又異下

陽明金　熱化七新校正云詳庚午年熱化二燥化四庚子年熱化七燥化九清化九　燥化九　所謂正化日

也　其化上鹹寒中辛溫下酸溫所謂藥

食宜也新校正云按玄珠云下苦熱又按至眞要大論云燥淫于内治以苦熱

辛未同歲會　辛丑歲同歲會

上太陰土　中少羽　水運新校正云詳此至七月丙申月水還正羽下太陽水雨化　風化勝復同　所謂邪氣化日也　災一宮新校正云詳一宮北室坎位天玄司雨化五　寒化一新校正云詳此以運與在泉俱水故只言寒化一寒化一者少羽之化氣也若太陽在泉之化則辛未寒化一辛丑寒化六所謂正化日也　其化上苦熱中苦和下苦熱所謂藥食宜也新校正云按玄珠云上酸和下甘溫又按至眞要大論云濕淫所勝平以苦熱寒淫于內治以甘熱

壬申同天符　壬寅歲同天符

上少陽相火　中太角木運　下厥陰木

火化二新校正云詳壬申熱化七壬寅熱化二　風化八新校正云

詳此以運與在泉俱木故只言風化八風

化八乃太角之運化也若厥陰在泉之化

則壬申風化三壬寅風化八　所謂正化日也　其化上

鹹寒中酸和下辛涼　所謂藥食宜也

癸酉同歲會　癸卯歲同歲會

上陽明金　中少徵火運新校正云詳此五月遇戊午月

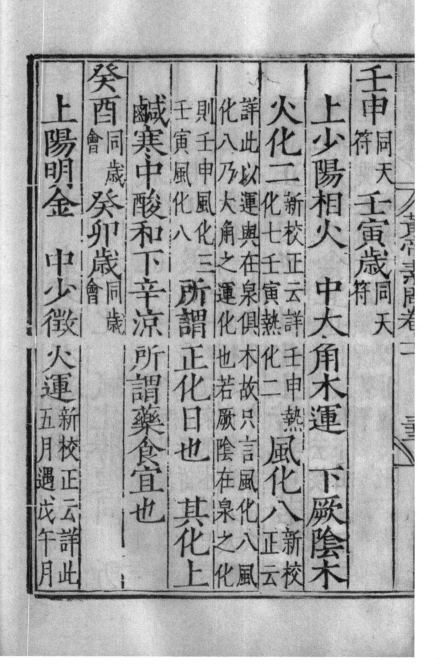

火還正徵下少陰火寒化　雨化勝復同　所謂邪氣化日也　災九宮新校正云詳九宮離位南室天英司燥化九新校正云詳癸酉燥化四癸卯燥化九熱化二新校正云詳此以運與在泉俱火故只言熱化二熱化二者少徵之運化也若少陰在泉之化則癸酉熱化七癸卯熱化二所謂正化日也　其化上苦小溫中鹹溫下鹹寒所謂藥食宜也新校正云按玄珠云上苦熱

甲戌歲會同天符　甲辰歲歲會同天符

上太陽水　中大宫土運　下太隂土

寒化六新校正云詳甲戌寒化六化一甲辰寒化六　濕化五新校正云詳此以運與在泉俱土故只言濕化五　所謂正化日也　其

化上苦熱中苦温下苦温所謂藥食宜也　新校正云按玄珠云上甘温下酸平又按至眞要大論云寒淫所勝平以辛熱温淫于内治以苦熱

乙亥　乙巳歲

上厥隂木　中少商金運新校正云詳乙亥年三月得庚

辰引見下德符即氣還正商火未得王而先平火不勝則水不復又亥是水得力年故火不勝也乙巳年火來小勝巳爲火佐於勝也卽於二月中氣君火時化日火來行勝不得水復過三月庚辰月下少陽相乙見庚而氣自全金還正商

火熱化寒化勝復同所謂邪氣化日也災七宮風化八新校正云詳乙亥風化三乙巳風化八清化四火化二新校正云詳乙亥熱化二乙巳熱化七正化度也度謂日也其化上辛涼中酸和下鹹寒藥食宜也

丙子歲會 丙午歲

上少陰火 中大羽水運 下陽明金

熱化二新校正云詳丙子歲熱化七金之災得其半以運水大過勝於天令天令減半丙午熱化二午為火少陰君火司天運雖水一水不能勝二火故異於丙子歲 寒化六 清化四新校正云詳丙子燥化九丙午燥化四

正化度也 其化上鹹寒中鹹熱下酸溫

藥食宜也新校正云按玄珠云下苦熱又按至真要大論云燥淫于内治以苦溫

丁丑　丁未歲

上太陰土新校正云詳此木運平氣上刑天令減半中少角木

運新校正云詳丁年正月壬寅爲干德符爲正角下太陽水　清

化　熱化勝復同　邪氣化度也　災三

宮　雨化五　風化三　寒化一新校正云詳丁丑寒化六丁未寒化一正化度也　其化上苦溫中

辛溫下甘熱藥食宜也新校正云按玄珠云上酸平下甘溫又按至眞要大論云濕淫所勝平以苦熱寒淫于内治以甘熱

戊寅天符戊申歲天符○新校正云詳戊申年與戊寅年小異申爲金佐於肺肺受火刑其氣稍實民病得半

上少陽相火　中大徵火運　下厥陰木

火化二新校正云詳天符司天與運合故只言火化二火化二者大徵之運氣也若少陽司天之氣則戊寅火化二戊申火化七風化三新校正云詳戊寅風化八戊申風化三正化度也　其化上鹹寒中甘和下辛涼藥食宜也

己卯新校正云詳己卯金與運土相得子臨父位爲逆己酉歲

上陽明金　中少宮土運新校正云詳復罷土氣未正後九月甲戌月上還正宮巳酉之年木勝小微　下少陰火　風化
清化勝復同　邪氣化度也　災五宮
清化九新校正云詳巳卯燥化九巳酉燥化四　雨化五　熱
化七新校正云詳巳卯熱化二巳酉熱化七　正化度也　其
化上苦小溫中甘和下鹹寒藥食宜也

庚辰　庚戌歲

上太陽水　中太商金運　下太陰土

寒化一新校正云詳庚辰寒化六庚戌寒化一清化九雨
化五正化度也其化上苦熱中辛溫
下甘熱藥食宜也新校正云按玄珠云上甘溫下酸平又按至眞
要大論云寒淫所勝平以辛熱濕淫于內治以苦熱

辛巳 辛亥歲

上厥陰木 中少羽水運新校正云詳辛巳年木復土罷至七
月丙申月水還正羽辛亥年爲水平氣以亥爲水相佐爲正羽與辛巳年小異下少
陽相火 雨化 風化勝復同 邪氣化度

也災一宮風化三新校正詳辛巳風化八辛亥風化三寒化一火化七新校正云詳辛巳熱化七辛亥熱化二正化度也其化上辛涼中苦和下鹹寒藥食宜也

壬午　壬子歲

上少陰火　中大角木運　下陽明金

熱化二新校正云詳壬午熱化二壬子熱化七風化八清化四新校正云詳壬午燥化四壬子燥化九正化度也其化上鹹寒中酸涼下酸温藥食宜也新校正云

按玄珠云下苦熱又按至眞要大論云燥淫于内治以苦熱

癸未　癸丑歲

上太陰土　中少徵火運新校正云詳癸未癸丑左右二火爲間相佐又五月戊午于德符癸見戊而氣全水來行勝爲正徵下太陽水　寒化　雨化勝復同　邪氣化度也

災九宮　雨化五　火化二　寒化一新校正云詳癸未寒化一癸丑寒化六正化度也　其化上苦溫中鹹溫下甘熱藥食宜也新校正云按玄珠云上酸

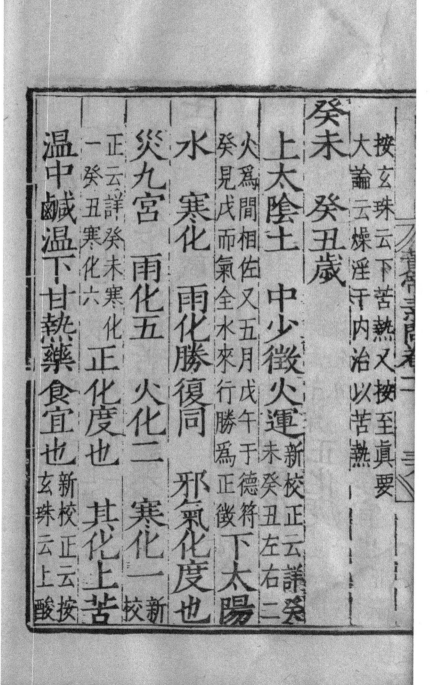

和下甘温又按至眞要大論云濕淫所勝平以苦熱寒淫于内治以甘熱

甲申　甲寅歲

上少陽相火　中太宮土運新校正云詳甲寅之歲小異於甲申以寅木可刑土氣之平也　下厥陰木　火化二新校正云詳甲申火化七甲寅火化二　雨化五　風化八新校正云詳甲申風化三甲寅風化八　正化度也　其化上鹹寒　中鹹和　下辛凉　藥食宜也

乙酉太一天符　乙卯歲太天符

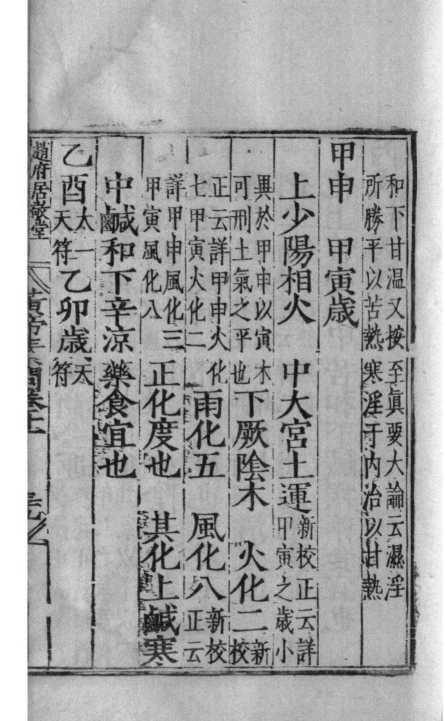

上陽明金　中少商金運新校正云按乙酉爲正商以酉金相佐故得平氣乙卯之年二之氣君火分中火來行勝水未行復其氣以平以三月庚辰乙得庚合金運正商其氣乃平　下少陰火　熱化寒化勝復同　邪氣化度也　災七宮　燥化四新校正云詳乙酉燥化四乙卯燥化九　清化四　熱化二新校正云詳乙酉熱化七乙卯熱化二　正化度也　其化上苦小溫中苦和下鹹寒藥食宜也

丙戌天符　丙辰歲天符

上太陽水　中太羽水運　下太陰土

寒化六新校正云詳此以運與司天俱水運故只言寒化六寒化六者太羽之運化也若太陽司天之化則丙戌寒化一丙辰寒化六雨化五　正

化度也　其化上苦熱中鹹溫下甘熱藥

食宜也新校正云按玄珠云上甘溫下酸平又按至眞要大論云寒淫所勝平以辛熱濕淫于內治以苦熱

丁亥天符丁巳歲天符

上厥陰木　中少角木運新校正云詳下年正月壬寅丁

得壬合爲木德符爲正角平氣下少陽相火　清化　熱化勝復同　邪氣化度也　災三宮　風化三新校正云詳此運與司天俱木故只言風化三風化三者少角之運化也若厥陰司天之化則丁亥風化三丁巳風化入火化七新校正云詳丁亥熱化二丁巳熱化七正化度也　其化上辛涼中辛和下鹹寒藥食宜也

戊子天符戊午歲太一天符

上少陰火　中大徵火運　下陽明金

熱化七新校正云詳此運與司天俱火故只言熱化七熱化七者大徵之運化也若少陰司天之化則戊子熱化七戊午熱化二清化九新校正云詳戊子清化九戊午清化四正化度也其化上鹹寒中甘寒下酸溫藥食宜也新校正云按玄珠云下苦熱又按至眞要大論云燥淫于內治以苦溫

己丑太一天符己未歲太一天符

上太陰土　中少宮土運新校正云詳是歲木得初氣而來勝脾乃病久土至危金乃來復至九月甲戌月已得甲合土還王宮　下太

陽水　風化　清化勝復同　邪氣化度也　災五宮　雨化五　新校正云詳此運與司天俱土故只言雨化五　寒化一　新校正云詳巳丑寒化六巳未寒化一　正化度也　其化上苦熱中甘和下甘熱藥食宜也　新校正云按玄珠云上甘平又按至眞要大論云濕淫所勝平以苦熱

庚寅　庚申歲

上少陽相火　中大商金運　新校正云詳庚寅歲爲正商得平氣以上見少陽相火下剋於金運不能太過庚申之歲申金佐之乃爲去商

下厥陰木　火化七新校正云詳庚寅熱化二庚申熱化七

清化九　風化三新校正云詳庚寅風化八庚申風化三正

化度也　其化上鹹寒中辛溫下辛涼藥

食宜也

辛卯　辛酉歲

上陽明金　中少羽水運新校正云詳此歲七月丙申水

還正羽　下少陰火　雨化　風化勝復同

邪氣化度也　災一宮　清化九新校正云詳辛

卯燥化九辛酉燥化四寒化一　熱化七新校正云詳辛卯熱化二辛酉熱化七正化度也　其化上苦小溫中苦和下鹹寒藥食宜也

壬辰　壬戌歲

上太陽水　中太角木運　下太陰土

寒化六新校正云詳壬辰寒化六壬戌寒化一風化八　雨化五　正化度也　其化上苦溫中酸和下甘溫藥食宜也新校正云按玄珠云上甘溫下酸平又按至眞

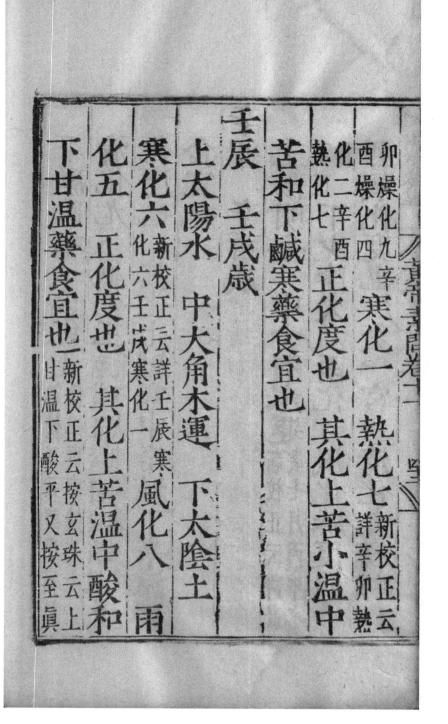

要大論云寒淫所勝平以辛熱濕淫于內治以苦熱

癸巳同歲會 癸亥同歲會

上厥陰木 中少徵火運新校正云詳癸未正徵火氣平一謂巳爲火亦名歲會二謂水未得化三謂五月戊午癸得戊合故得平氣癸亥之歲亥爲水水得年力便來行勝至五月戊午月還正徵其正氣始平下少陽相火 寒化 雨化勝復同 邪氣化度也 災九宮 風化八新校正云詳癸巳風化八癸亥風化三火化二新校正云詳此運與在泉俱火故只言火化二火化二者少徵

火運之化也若少陽在泉之化則癸巳熱化七癸亥熱化二正化度也其化上辛涼中鹹和下鹹寒藥食宜也凡此定期之紀勝復正化皆有常數不可不察故知其要者一言而終不知其要流散無窮此之謂也帝曰善五運之氣亦復歲乎復報也先有勝制則後必復也岐伯曰鬱極迺發待時而作也待謂五及差分位也大溫發於辰巳大熱發於未申中大涼發於戌亥大寒發於丑寅上件所勝臨之亦待間氣而發故曰待時也○新校正云詳注及字疑作氣帝曰請

問其所謂也岐伯曰五常之氣太過不及其發異也歲太過其發早歲不及其發晚帝曰願卒聞之岐伯曰太過者暴不及者徐暴者為病甚徐者為病持持謂相執持也帝曰太過不及其數何如岐伯曰太過者其數成不及者其數生土常以生也數謂五常化行之數也水數一火數二木數三金數四土數五成數謂水數六火數七木數八金數九土數十也故曰土常以生也數生者各取其生數多少以占故政令德化勝復之休作曰及尺寸分毫並以準之此蓋都明諸用者也帝曰其發也

何如岐伯曰土鬱之發巖谷震驚雷殷氣交埃昏黃黑化爲白氣飄驟高深鬱謂鬱抑天氣之甚也故雖天氣亦有涯也分終則衰故雖鬱者怒發也土化不行炎亢無雨木盛過極故鬱怒發焉土性靜定至動也雷雨大作而木土相持之氣乃休解也易曰雷雨作解此之謂也土雖獨怒木尚制之故但震驚於氣交之中而聲尚不能高遠也故曰雷殷氣交氣交謂土之上盡山之高也詩云殷其雷也所謂雷雨生於山中者土既抑鬱天木制之平川上薄氣常乾燥故不能先發也山原土厚濕化豐深土厚氣深故先怒發也擊石飛空洪水廼從川流漫衍田牧土駒疾氣驟雨岸落山化

大水横流石勢迸急高山空谷擊石先飛而洪水隨至也洪大也巨川衍溢流漫平陸漂蕩瘞没於桑盛太水去已石土危然若羣駒散牧於田野凡言土者沙石同也化氣迺敷善爲時雨始生始長始化始成化土化也土被制化氣不斂否極則泰屈極則伸處怫之時化氣因之乃能敷布於庶類以時而雨滋澤草木而成也善謂應時也化氣既少長氣已過故萬物始生始長始化始成言是四始者明萬物化成之晚也故民病心腹脹腸鳴而爲數後甚則心痛脇䐜嘔吐霍亂飲發注下胕腫身重脾熱之生雲奔雨府霞擁朝陽山澤埃昏其迺發

也以其四氣雨府太陰之所在也埃白氣似雲而薄也埃固有微甚微者如紗縠之騰甚者如薄雲霧也甚者發近微者發遠四氣謂夏至後三十一日起盡至秋分日也雲橫天山浮游生滅怫之先兆天際雲橫山猶冠帶巖谷叢薄乍滅乍生有土之見怫兆已彰皆平明占之浮游以午前候望也金鬱之發天潔地明氣清氣切大涼迺舉草樹浮煙燥氣以行霿霧數起殺氣來至草木蒼乾金迺有聲大涼次寒也舉用事也浮煙燥氣也殺氣霜雰正殺氣者以丑時至長者亦卯時辰時也其氣之來色黃赤黑雜而至也物不勝殺故草木蒼乾蒼薄青色也

故民病欬逆心脇滿引少腹善暴痛不可反側嗌乾面塵色惡金勝而木病也山澤焦枯土凝霜鹵怫迺發也其氣五夏火炎亢時雨既愆故山澤焦枯土上凝白鹹鹵狀如霜也五氣謂秋分後一至立冬後五十四日內也夜零白露林莽聲悽怫之兆也夜濡白露曉聽風悽有是乃爲金發徵也水鬱之發陽氣迺辟陰氣暴舉大寒迺至川澤嚴凝寒雰結爲霜雪寒雰白氣也其狀如霧而不流行墜地如霜雪得日晞也甚則黃黑昏翳流行氣交迺爲霜殺水迺見

祥黃黑亦濁惡氣水氣也祥大祥亦謂泉出平也故民病寒客心痛腰脽痛太關節不利屈伸不便善厥逆痞堅腹滿陰勝陽故陽光不治空積沈陰白埃昏瞑而迺發也其氣二火前後陰精與水皆上承火故其發也在君相二火之前後亦猶辰星迎隨日也太虛深玄氣猶麻散微見而隱色黑微黃怫之先兆也深玄言高遠而黯黑也氣似散麻薄微可見之也寅後卯時候之夏月兼辰前之時亦可候也水鬱之發太虛埃昏雲物以擾大風迺至屋發折木木有變

屋發謂發鴟吻折木謂大樹摧拔搖落故民懸竿中粒也變謂土生異木奇狀也病胃脘當心而痛上支兩脇鬲咽不通食飲不下甚則耳鳴眩轉目不識人善暴僵仆筋骨強直而不用卒倒而無所知也太虛蒼埃天山一色或爲濁色黃黑鬱若橫雲不起雨而迺發也其氣無常氣如塵如雲或黃黑鬱然猶在太虛之間而特異於常乃其候也長川草偃柔葉呈陰松吟高山虎嘯巖岫怫之先兆也草偃謂無風而自低柔葉謂白楊葉也無風而葉皆背見是謂呈陰如是者皆通微

甚甚者發速微者發徐也山行之候則以松虎期之原行亦以麻黃爲候秋冬則以梧桐蟬葉候之火鬱之發太虛腫翳大明不彰曈翳謂赤氣也大明日也○新校正云詳經註中曈字疑誤炎火行大暑至山澤燔燎材木流津廣厦騰煙土浮霜鹵止水迺減蔓草焦黃風行惑言濕化迺後太陰太陽在上寒濕流於太虛心火應天鬱抑而莫能彰顯寒濕盛已火迺與行陽氣火光故山澤燔燎井水減少妄作訛言雨已愆也濕化迺後謂陽亢主時氣不爭長故先旱而後雨也故民病少氣瘡瘍癰腫脇腹胷背面首四支䐜憤

臚脹瘍沸嘔逆瘛瘲骨痛節迺有動注下溫
瘧腹中暴痛血溢流注精液迺少目赤心熱
甚則瞀悶懊憹善暴死火鬱而怒爲土水相持客主皆然悉無深犯則無怒也但熱已勝寒則爲摧敵而熱從心起是神氣孤危不速救之天眞將竭故死火之用速故善暴死（憹）音農刻中大溫汗濡玄府其迺發
也其氣四刻終謂晝刻水刻終盡之時也大溫大熱也玄府謂汗宮也汗濡玄府謂早行而身蒸熱也刻盡之時陰盛於此反無涼氣是陰不勝陽熱既已萌故當怒發也○新校正云詳土火俱發四氣者何蓋火有二位爲水發之所又大熱發於申未故火

鬱之發在四氣也動復則靜陽極反陰濕令廼化廼成火怒爍金陽極過亢畏火求救土中土救熱金發爲飄驟繼爲時雨氣廼和平故萬物由是廼生長化成壯極則反盛亦何長也華發水凝山川冰雪焰陽午澤怫之先兆也謂君火王時有寒至也故歲君火發亦待時也有怫之應而後報也皆觀其極而廼發也木發無時水隨火也應爲先兆發必後至故先應而後發也物不可以終壯觀其壯極則怫氣作焉有鬱則發氣之常也謹候其時病可與期失時反歲五氣不行生化收藏政無恒也

人失其時則候無期準也帝曰水發而雹雪土發而飄驟木發而毀折金發而清明火發而曛昧何氣使然岐伯曰氣有多少發有微甚微者當其氣甚者兼其下徵其下氣而見可知也六氣之下各有承氣也則如火位之下水氣承之水位之下土氣承之土位之下木氣承之木位之下金氣承之金位之下火氣承之君位之下陰精承之各徵其下則象可見矣故發兼其下則與本氣殊異帝曰善五氣之發不當位者何也言不當其正月也岐伯曰命其差謂差四時之正月位也○新校正云

按至真要大論云勝復之作動不當位或後時而至其故何也岐伯曰夫氣之生化與其衰盛異也寒暑溫涼盛衰之用其在四維故陽之動始於溫盛於暑陰之動始於清盛於寒春夏秋冬各差其分故大要曰彼春之暖爲夏之暑彼秋之忿爲冬之怒謹按四維斥候皆歸其終可見其始可知彼論勝復之不當位此論五氣之發不當位所論勝復五發之事則異而命其差之義則同帝曰差有數乎言日數也岐伯曰後皆三十度而有奇也後謂四時之後也差三十日餘八十七刻半氣猶未去而甚盛也度日也四時之後亦當爾○新校正云詳註云八十七刻半當作四十三刻又四十分刻之三十帝曰氣至而先後者何謂未應至

而至大早應至而不至反大遲之類也正謂氣至在期先後岐伯曰運太過則其至先運不及則其至後此候之常也帝曰當時而至者何也岐伯曰非太過非不及則至當時非是者眚也當時謂應日刻之期也非應先後至而有先後至者皆爲災眚災也帝曰善氣有非時而化者何也岐伯曰太過者當其時不及者歸其已勝也冬雨春涼秋熱冬寒之類皆爲歸已勝也帝曰四時之氣至有早晏高下左右其候何如岐伯曰行有逆順至

有遲速故太過者化先天不及者化後天（氣有餘故化先氣不足故化後）帝曰願聞其行何謂也岐伯曰春氣西行夏氣北行秋氣東行冬氣南行（觀萬物生長收藏如斯言）故春氣始於下秋氣始於上夏氣始於中冬氣始於標春氣始於左秋氣始於右冬氣始於後夏氣始於前此四時正化之常（察物以明之可知也）故至高之地冬氣常在至下之地春氣常在（高山之巔盛夏冰雪汚下川澤嚴冬草生常在之義足明矣○）

新校正云按五常政大論云地有高下氣有温涼高者氣寒下者氣熱必謹察之帝曰善天地陰陽視而可見何必思諸冥昧演法推求智極心勞而無所得耶黃帝問曰五運六氣之運見六化之正六變之紀何如岐伯對曰夫六氣正紀有化有變有勝有復有用有病不同其候帝欲何乎帝曰願盡聞之岐伯曰請遂言之遂盡也夫氣之所至也厥陰所至爲和平初之氣木之化少陰所至爲暄二之氣君火也太陰所至爲埃溽四之氣土之化少

陽所至爲炎暑三之氣相火也陽明所至爲清勁五之氣金之化太陽所至爲寒雰終之氣水之化時化之常也四時氣正化之常候厥陰所至爲風府爲璺啓璺微裂也啓開折也少陰所至爲大火府爲舒榮太陰所至爲雨府爲員盈物承土化質皆盈滿又雨界地綠文見如環爲員化明矣少陽所至爲熱府爲行出藏熱者出行也陽明所至爲司殺府爲庚蒼庚更也更易也代也太陽所至爲寒府爲歸藏物寒故歸藏也司化之常也厥陰所至爲生

爲風搖化木之少陰所至爲榮爲形見化火之太陰所至爲化爲雲雨化土之少陽所至爲長爲蕃鮮化火之陽明所至爲收爲霧露化金之太陽所至爲藏爲周密化水之氣化之常也厥陰所至爲風生終爲肅風化以生則風生也肅靜也○新校正云按六微旨大論云風位之下金氣承之故厥陰爲風生而終爲肅也少陰所至爲熱生中爲寒熱化以生則熱生也陰精承上故中爲寒也○新校正云按六微旨大論云少陰之上熱氣治之中見太陽故爲熱生而中爲寒也又云君位之下陰精承之

亦爲寒之義也太陰所至爲濕生終爲注雨濕化以生則濕生也太陰在上故終爲注雨。新校正云按六微旨大論云土位之下風氣承之王注云疾風之後雨乃零濕爲風吹化而爲雨故太陰爲濕生而終爲注雨也少陽所至爲火生終爲蒸溽火化以生則火生也陽在上故終爲蒸溽。新校正云按六微旨大論云相火之下水氣承之故少陽爲火生而終爲蒸溽也陽明所至爲燥生終爲涼燥化以生則燥生也陰在上故終爲涼。新校正云詳此六氣俱先言本化次言所反之氣而獨陽明之化言燥生終爲涼未見所反之氣再尋上下文義當云陽明所至爲涼生終爲燥方與諸氣之義同貫盖以金位之下火氣承之故陽明爲清生而終爲燥也太陽所至爲寒生中爲溫寒化以生則寒生也陽在內故中爲溫○新校正云按五運行大論云太陽之上寒氣治之中見少陰故爲寒生而中爲溫德化之常也風生毛形熱生翮形濕生倮形火生羽形燥生介形寒生鱗形六化皆爲主歲及間氣所在而各化生常無替也非德化則無能化生也翮胡革反厥陰所至爲毛化形之有毛者少陰所至爲羽化有羽翮飛行之類太陰所至爲倮化無毛羽鱗甲之類少陽所至爲羽化薄明羽翼蜂蟬之類非翎羽之羽也陽明所至爲介化有甲之類太陽所至爲鱗化

身有鱗也德化之常也厥陰所至爲生化溫化也少
陰所至爲榮化暄化也太陰所至爲濡化濕化也
少陽所至爲茂化熱化也陽明所至爲堅化凉化
也太陽所至爲藏化寒化也布政之常也厥陰
所至爲飄怒大涼飄怒木也大涼下承之金氣也少陰所至
爲大暄寒大暄君火也寒下承之陰精也太陰所至爲雷霆
驟注烈風雷霆驟注土也烈風下承之木氣也少陽所至爲飄
風燔燎霜凝飄風旋轉風也霜凝下承之水氣也陽明所至爲

散落溫散落金也溫下承之火氣也太陽所至爲寒雪冰
雹白埃霜雪冰雹水也白埃下承之土氣也氣變之常也變謂變常
平之氣而爲甚用也用甚不已則下承之氣兼行故皆非本氣也厥陰所至
爲撓動爲迎隨風之性也少陰所至爲高明熖爲
曛熖陽熖也曛赤黃色也太陰所至爲沈陰爲白埃爲
晦暝暗蔽不明也少陽所至爲光顯爲彤雲爲曛
光顯電也流光也明也彤赤色也彤陰氣同陽明所至爲煙埃爲
霜爲勁切爲悽鳴殺氣也太陽所至爲剛固爲

堅芒爲立寒化也令行之常也令行則庶物無違厥陰所至爲裏急筋緛縮故急少陰所至爲瘍胗身熱火氣生也太陰所至爲積飲否隔土氣也少陽所至爲嚏嘔爲瘡瘍火氣生也陽明所至爲浮虛浮虛薄腫按之復起也太陽所至爲屈伸不利病之常也厥陰所至爲支痛支柱妨也少陰所至爲驚惑惡寒戰慓譫妄譫亂言也今詳慓字當作慄大陰所至爲稸滿少陽所至爲驚躁瞀昧暴病陽明所至爲鼽尻陰

股膝髀腨䯒足病六陽所至爲腰痛病之常也厥陰所至爲緛戾少陰所至爲悲妄衄衊衊汙血亦脂也太陰所至爲中滿霍亂吐下少陽所至爲喉痹耳鳴嘔涌涌謂溢食不下也陽明所至爲胻痛皴揭身皮皵象太陽所至爲寢汗痙寢汗謂睡中汗發於胸嗌頸掖之間也俗誤呼爲盜汗痙巨郢切病之常也厥陰所至爲胻痛嘔泄泄謂利也少陰所至爲語笑太陰所至爲重胕腫胕腫爲肉泥按之不起也少陽所至爲暴

注瞤瘛暴死陽明所至爲鼽嚏太陽所至爲流泄禁止病之常也凡此十二變者報德以德報化以化報政以政報令以令氣高則高氣下則下氣後則後氣前則前氣中則中氣外則外位之常也氣報德報化謂天地氣也高下前後中外謂生病所也手之陰陽其氣高足之陰陽其氣下足太陽氣在身後足陽明氣在身前足少陽太陰厥陰氣在身中足少陽氣在身側各隨所在言氣變生病象也故風勝則動不寧也○新校正云詳風勝則動至濕勝則濡泄五句與陰陽應象大論文重而注不同

熱勝則腫熱勝氣則爲丹熛勝血則爲癰腫勝骨肉則爲胕腫按之不起燥勝則乾乾於外則皮膚皴揭乾於內則精血枯涸乾於氣及津液則肉乾而皮著於骨寒勝則浮浮謂浮起按之處見也濕勝則濡泄甚則水閉胕腫濡泄水利也胕腫肉泥按之陷而不起也水閉則逸於皮中也隨氣所在以言其變耳帝曰願聞其用也岐伯曰夫六氣之用各歸不勝而爲化用謂施其化氣故太陰雨化施於太陽太陽寒化施於少陰新校正云詳此當云少陰少陽少陰熱化施於陽明陽明燥化

施於厥陰厥陰風化施於太陰各命其所在以徵之也帝曰自得其位何如岐伯曰自得其位常化也帝曰願聞所在也岐伯曰命其位而方月可知也（隨氣所在以定其方六分占之則日及地分無差也）帝曰六位之氣盈虚何如岐伯曰太少異也大者之至徐而常少者暴而亡（力強而作不能久長故暴而無也亡無也）帝曰天地之氣盈虚何如岐伯曰天氣不足地氣隨之地氣不足天氣從之運居

其中而常先也運謂木火土金水各主歲者也地氣勝則歲運上升天氣勝則歲運下降上升下降運氣常先遷降也惡所不勝歸所同和隨運歸從而生其病也非其位則變生變生則病作故上勝則天氣降而下下勝則地氣遷而上勝謂多也上多則自降下多則自遷多少相移氣之常也○新校正云按六微旨大論云升已而降降者謂天降已而升升者謂地天氣下降氣流于地地氣上升氣騰于天故高下相召升降相因而變作矣此亦升降之義也勝多少而差其分多則遷降多少則遷降少多少之應有微有甚之異也微者小差甚者大差甚

則位易氣交易則大變生而病作矣大要曰甚紀五分微紀七分其差可見此之謂也以其五分七分之所以知天地陰陽過差矣帝曰善論言熱無犯熱寒無犯寒余欲不遠寒不遠熱奈何歧伯曰悉乎哉問也發表不遠熱攻裏不遠寒汗泄故用熱不遠熱下利故用寒不遠寒皆以其不住於中也如是則夏可用熱冬可用寒不發不泄而無畏忌是謂妄遠法所禁也皆謂不獲已而用之也差秋冬亦同法〇新校正云按至眞要大論云發不遠熱無犯溫涼帝曰不發不攻而犯寒犯

熱何如岐伯曰寒熱內賊其病益甚以水濟水以火濟火適足以更生病豈唯本病之益甚乎帝曰願聞無病者何如岐伯曰無者生之有者甚之無病者犯禁猶能生病況有病者而求輕減不亦難乎帝曰生者何如岐伯曰不遠熱則熱至不遠寒則寒至寒至則堅否腹滿痛急下利之病生矣食已不饑吐利腥穢亦寒之疾也熱至則身熱吐下霍亂癰疽瘡瘍瞀鬱注下瞤瘛腫脹嘔鼽衄頭痛骨節變肉痛血溢血泄淋閟

之病生矣暴瘖冒昧目不識人躁擾狂越妄見妄聞罵詈驚癇亦熱之病帝
曰治之奈何岐伯曰時必順之犯者治以勝
也春宜凉夏宜寒秋宜溫冬宜熱此時之宜用不可不順然犯熱治以寒犯寒治以熱犯春宜用凉犯秋宜用溫是以勝也犯熱治以鹹寒犯寒治以甘熱犯凉治以苦溫犯溫治以辛凉亦勝之道也黃帝問曰婦人重身毒之何如
岐伯曰有故無殞亦無殞也故謂有大堅癥瘕痛甚不堪則治以破積愈痛之藥是謂不救必乃盡死救之蓋存其大也雖服毒不死也上無殞言母必全亦無殞言子亦不死也帝曰願聞其故何謂也岐伯

曰大積大聚其可犯也衰其大半而止過者死衰其大半不足以害生故衰大半則止其藥若過禁待盡毒氣內餘無病可攻以當毒藥毒攻不已則敗損中和故過則死○新校正云詳此婦人身重一節與上下文義不接疑他卷脫簡於此帝曰善鬱之甚者治之奈何天地五行應運有鬱抑不伸之甚者岐伯曰木鬱達之火鬱發之土鬱奪之金鬱泄之水鬱折之然調其氣達謂吐之令其條達也發謂汗之令其疏散也奪謂下之令無擁礙也泄謂滲泄解表利小便也折謂抑之制其衝逆也通是五法乃氣可平調後乃觀其虛盛而調理之也過者折

之以其畏也所謂寫之過太過也太過者以其味寫之以鹹寫腎酸寫肝辛寫肺甘寫脾苦寫心過者畏寫故謂寫爲畏也帝曰假者何如岐伯曰有假其氣則無禁也正氣不足臨氣勝之假寒熱溫涼以資四正之氣則可以熱犯熱以寒犯寒以溫犯溫以涼犯涼也所謂主氣不足客氣勝也客氣謂六氣更臨之氣主氣謂五藏應四時正王春夏秋冬也帝曰至哉聖人之道天地大化運行之節臨御之紀陰陽之政寒暑之令非夫子孰能通之請藏之靈蘭之室署曰六元正紀非齋

戒不敢示慎傳也新校正云詳此與氣交變大論末文重

○刺法論篇第七十二亡

○本病論篇第七十三亡新校正云詳此二篇亡在王注之前按病能論篇末在王冰注云世本既闕第七二篇謂此二篇也而今世有素問亡篇及昭明隱旨論以謂此亡篇仍託名王冰爲註辭理鄙陋無足取者舊本此篇名在六元正紀論後列之爲後人移於此若以尚書亡篇之名皆在前篇之末則舊本爲得

○至真要大論篇第七十四

黃帝問曰五氣交合盈虛更作余知之矣六氣分治司天地者其至何如五行主歲歲有少多故曰盈虛更作也天元紀大論曰其始也有餘而往不足隨之不足而往有餘從之則其義也天分六氣散主太虛三之氣司天終之氣監地天地生化是爲大紀故言司天地者餘四可知矣岐伯再拜對曰明乎哉問也天地之大紀人神之通應也天地變化人神運爲中外雖殊然其通應則一也帝曰願聞上合昭昭下合冥冥奈何岐伯曰此道之所生工之所疑也不知其要流散無窮帝曰願聞

其道也。岐伯曰：厥陰司天，其化以風，飛揚鼓拆，和氣發生，萬物榮枯，皆因而化變成敗也。少陰司天，其化以熱，炎蒸鬱燠，故庶類蕃茂。太陰司天，其化以濕，雲雨潤澤，津液生成。少陽司天，其化以火，炎熾赫烈，以爍寒災。陽明司天，其化以燥，乾化以行，物無濕敗。太陽司天，其化以寒，對陽之化也。○新校正云：詳注云對陽之化，陽字疑誤。以所臨藏位命其病者也。肝木位東方，心火位南方，脾土位西方南方，及四維，肺金位西方，腎水位北方，是五藏定位。然六氣御五運，所至氣不相得則病，相得則和，故先以六氣所臨，後言五藏之病。帝曰地化奈何岐伯曰司天同候間氣皆然六氣之本自有常性故雖位易而化治皆同帝曰間氣何謂岐伯曰司左右者是謂間氣也六氣分化常以二氣司天地爲上下吉凶勝復客主之理歲中悔吝從而明之餘四氣散居左右也故陰陽應象大論曰天地者萬物之上下左右者陰陽之道路此之謂也帝曰何以異之岐伯曰主歲者紀歲間氣者紀步也歲三百六十五日四分日之一步六十日餘八十七刻半也積步之日而成歲也帝曰善歲主奈何岐伯曰厥陰司天爲風化巳亥之歲風高氣遠雲飛物揚風之

化也在泉爲酸化寅申之歲木司地氣故物化從酸司氣爲蒼化木運之氣丁壬之歲化蒼青也間氣爲動化偏主六十日餘八十七刻半也。新校正云詳丑未之歲厥陰爲初之氣子午之歲爲二之氣辰戌之歲爲四之氣卯酉之歲爲五之氣少陰司天爲熱化子午之歲陽光熠燿暄暑流行熱之化也〔熠〕羊入切在泉爲苦化卯酉之歲火司地不氣故物以苦生司氣化君不主運。新校正云按天元紀大論云君火以名相火以位謂君火不主運也居氣爲灼化六十日餘八十七刻半也居本位君火爲居不當間之也。新校正云詳少陰不曰間氣而云居氣者蓋尊君火無所不居不當間之也王註云居本位爲居不當間之則居他位不爲居而可間也寅申之歲爲初之氣丑未之歲爲二之氣巳亥之歲爲四之氣辰戌之歲爲五之氣太陰司天爲濕化丑未之歲埃鬱曚昧雲雨潤濕之化也在泉爲甘化辰戌之歲也土司地氣故甘化先焉司氣爲黅化土運之氣甲己之歲黅黃也間氣爲柔化濕化行則庶物柔耎○新校正云詳太陰卯酉之歲爲初之氣寅申之歲爲二之氣子午之歲爲四之氣巳亥之歲爲五之氣少陽司天爲火化寅申之歲也炎光赫烈燔灼焦然火之化也在泉爲苦化巳亥之歲也火司地氣故苦化先焉司氣爲丹化火運之氣戊癸歲也間氣爲明化

明炳明也亦謂霞燒○新校正云詳少陽辰戊之歲爲初之氣卯酉之歲爲二之氣寅申之歲爲四之氣丑未之歲爲五之氣陽明司天爲燥化卯酉之歲清切高明霧露蕭瑟操之化也在泉爲辛化子午之歲也金司地氣故辛化先馬司氣爲素化金運之氣乙庚歲也間氣爲清化風生高勁草木清冷清之化也○新校正云詳陽明巳亥之歲爲初之氣辰戌之歲爲二之氣寅申之歲爲四之氣丑未之歲爲五之氣太陽司天爲寒化辰戌之歲嚴肅峻整慄慄凝堅寒之化也在泉爲鹹化丑未之歲水司地氣故化從鹹司氣爲玄化水運之氣丙辛歲也間氣爲藏化陰凝而冷庶物斂容歲之

化也。新校正云：詳子午之歲太陽爲初之氣，巳亥之歲爲二之氣，卯酉之歲爲四之氣，寅申之歲爲五之氣。故治病者，必明六化分治，五味五色所生，五藏所宜，迺可以言盈虛病生之緒也。學不厭備習也。帝曰：厥陰在泉而酸化先，余知之矣。風化之行也何如？岐伯曰：風行于地，所謂本也，餘氣同法。厥陰在泉風行于地，少陰在泉熱行于地，太陰在泉濕行于地，少陽在泉火行于地，陽明在泉燥行于地，太陽在泉寒行于地，故曰餘氣同法也。本謂六氣之上元氣也。本乎天者，天之氣也；本乎地者，地之氣也化於天者爲天氣化於地者爲地氣○新校正云按易曰本乎天者親上本乎地者親下此之謂也天地合氣六節分而萬物化生矣萬物居天地之間悉爲六氣所生化陰陽之用未嘗有逃生化出陰陽也故曰謹候氣宜無失病機此之謂也病機下文具矣帝曰其主病何如言采藥之歲也歧伯曰司歲備物則無遺主矣謹候司天地所生化者則其味正當其歲也故彼藥上專司歲氣所收藥物則一歲二歲其所主用無遺略也○今詳則字當作用帝曰先歲物何也歧伯曰天地之專精也專精之氣藥物肥膿又於使用當其

正氣味也○新校正云詳先歲疑作司歲帝曰司氣者何如司運氣也岐伯曰司氣者主歲同然有餘不足也五運主歲者有餘不足比之歲物恐有薄有餘之歲藥專精也帝曰非司歲物何謂也岐伯曰散也非專精則散氣散氣則物不純故質同而異等也形質雖同力用則異故不尚之氣味有薄厚性用有躁靜治保有多少力化有淺深此之謂也物與歲不同者何以此爾帝曰歲主藏害何謂岐伯曰以所不勝命之則其要也木不勝金金不勝火之類是也帝曰治

之奈何岐伯曰上淫于下所勝平之外淫于內所勝治之淫謂行所不勝巳者也上淫于下天之氣也外淫于內地之氣也隨所制勝而以平治之也制勝謂五味寒熱温涼隨勝用之下文備矣○新校正云詳天氣主歲雖有淫勝但當平調之故不曰治而曰平也帝曰善平氣何如平謂診平和之氣岐伯曰謹察陰陽所在而調之以平為期正者正治反者反治知陰陽所在則知尺寸應與不應不知陰陽所在則以得為失以逆為從故謹察之也陰病陽不病陽病陰不病是為正病則正治之謂以寒治熱以熱治寒也陰位已見陽脉陽位又見陰脉是謂反病則

反治之謂以寒治寒以熱治熱也諸方之制咸悉不然故曰反者反治也帝曰夫子言察陰陽所在而調之論言人迎與寸口相應若引繩小大齊等命曰平新校正云詳論言至曰平本靈樞之文今出甲乙經云寸口主中人迎主外兩者相應俱往俱來若引繩小大齊等春夏人迎微大秋冬寸口微大者名曰平也陰之所在寸口何如陰之所在脉沉不應引繩齊等其候頗乖故問以明之岐伯曰視歲南北可知之矣帝曰願卒聞之岐伯曰北政之歲少陰在泉則寸口不應木火金水運面北受氣凡氣之在泉

者脉悉不見唯其左右之氣脉可見之在泉之氣善則不見惡者可見病以氣及客主淫勝名之在天之氣其亦然矣厥陰在泉則右不應少陰在右故太陰在泉則左不應少陰在左故南政之歲少陰司天則寸口不應土運之歲面南行令故少陰司天則二手寸口不應也厥陰司天則右不應太陰司天則左不應亦左右義也諸不應者反其診則見矣不應皆爲脉沉脉沉下者仰手而沉覆其手則沉爲浮細爲大也帝曰尺候何如歧伯曰北政之歲三陰在下則寸不應三陰在上

則尺不應司天曰上在泉曰下南政之歲三陰在天則寸不應三陰在泉則尺不應左右同尺不應寸左右悉與寸不應義同故曰知其要者一言而終不知其要流散無窮此之謂也要謂知陰陽所在也知則用之不惑不知則尺寸之氣沈浮小大常三歲一差欲求其意猶遶樹問枝雖白首區區尚未知所詣況其旬月而可知乎帝曰善天地之氣內淫而病何如岐伯曰歲厥陰在泉風淫所勝則地氣不明平野昧草廼早秀民病洒洒振寒善呻數欠

心痛支滿兩脇裏急飲食不下鬲咽不通食則嘔腹脹善噫得後與氣則快然如衰身體皆重謂甲寅丙寅戊寅庚寅壬寅甲申丙申戊申庚申壬申歲也地氣不明謂天圍之際氣色昏暗風行地上故平野皆然昧謂暗也脇謂兩乳之下及胠外也伸謂以欲伸努筋骨也○新校正云按甲乙經洒洒振寒善伸數欠爲胃病食則嘔腹脹善噫得後與氣則快然如衰身體皆重爲脾病飲食不下鬲咽不通邪在胃脘也蓋厥陰在泉之歲六王而剋脾胃故病如是又按脉解云所謂食則嘔者物盛滿而上溢故嘔也所謂得後與氣則快然如衰者十二月陰氣下衰而陽氣且出故曰得後與氣則快然如衰也

少陰在泉熱淫所勝則焰浮川澤陰處反明民病腹中常鳴氣上衝胷喘不能久立寒熱皮膚痛目瞑齒痛頗腫惡寒發熱如瘧少腹中痛腹大蟄蟲不藏謂乙卯丁卯巳卯辛卯癸卯乙酉丁酉巳酉辛酉癸酉歳也陰處北方也不能久立足無力也腹大謂心氣不足也金火相薄而爲是也○新校正云按甲乙經齒痛頗腫爲大腸病腹中雷鳴氣上衝胷喘不能久立邪在大腸也蓋少陰在泉之歳火剋金故大腸病也歳太陰在泉草乃早榮新校正云詳此四字疑衍濕淫所勝則埃昏巖谷黃反見

黑至陰之交民病飲積心痛耳聾渾渾焞焞嗌腫喉痺陰病血見少腹痛腫不得小便病衝頭痛目似脫項似拔腰似折髀不可以回膕如結腨如別謂甲辰丙辰戊辰庚辰壬辰甲戌丙戌戊戌庚戌壬戌歲也太陰爲土色見應黃於天中而反見於北方黑處也水土同見故曰至陰之交合其氣色也衝頭痛謂腦後眉間痛也膕謂膝後曲脚之中也腨胻後軟肉處也○新校正云按甲乙經耳聾渾渾焞焞嗌腫喉痺爲三焦病爲病衝頭痛目似脫項似拔腰似折髀不可以回膕如結腨如別爲膀胱足太陽病又少腹腫痛不得小便邪在三焦蓋太陰在泉之

歲土王剋太陽故病如是也膕戈麥切歲少陽在泉火淫所勝則焰明郊野寒熱更至民病注泄赤白少腹痛溺赤甚則血便少陰同候謂乙巳丁巳己巳辛巳癸巳乙亥丁亥己亥辛亥癸亥歲也處寒之時熱更其氣熱氣既往寒氣後來故云更至也餘候與少陰在泉證同歲陽明在泉燥淫所勝則霿霧清瞑民病喜嘔嘔有苦善太息心脇痛不能反側甚則嗌乾面塵身無膏澤足外反熱謂甲子丙子戊子庚子壬子甲午丙午戊午庚午壬午歲也霿霧謂霿暗不分似霧也清薄寒也言

霧起霿暗不辨物形而薄寒也心脇痛謂心之傍脇中痛也面塵謂面上如有觸冒塵土之色也○新校正云按甲乙經病喜嘔嘔有苦善太息心脅痛不能反側甚則面塵身無膏澤足外反熱爲膽病嗌乾面塵爲肝病蓋陽明在泉之歲金王剋木故病如是又按脉解云少陽所謂心脅痛者言少陽盛也盛者心之所衰也九月陽氣盡而陰氣盛故心脅痛所謂不可反側者陰氣藏物也物藏不得動故不可反側也歲大陽在泉寒淫所勝則凝肅慘慄民病少腹控睪引腰脊上衝心痛血見嗌痛頷腫謂乙丑丁丑己丑辛丑癸丑乙未丁未己未辛未癸未歲也凝肅謂寒氣靄空凝而不動萬物靜肅其儀形也慘慄寒甚

也空引也睪陰丸也頷頰車前牙之下也○新校正云按甲乙經嗌痛頷腫爲小腸病又少腹控睪引腰脊上衝心肺邪在小腸也蓋太陽在泉之歲木剋火故病如是帝曰善治之奈何岐伯曰諸氣在泉風淫于內治以辛涼佐以苦以甘緩之以辛散之風性喜溫而惡清故治之涼是以勝氣治之也佐以苦隨其所利也木苦急則以甘緩之若抑則以辛散之藏氣法時論曰肝苦急急食甘以緩之肝欲散急食辛以散之此之謂也食亦音飼已曰食他曰飼也大法正味如此諸爲方者不必盡用之佐一佐二佐病已則止餘氣皆然熱淫于內治以鹹寒佐以甘苦以甘收之以

苦發之熱性惡寒故治以寒也熱之大盛甚於表者以苦發之不盡復寒制之寒制不盡復苦發之以酸收之甚者再方微者一方可使必已時發時止亦以酸收之濕淫于内治以苦熱佐以酸淡以苦燥之以淡泄之濕與燥反故治以苦熱佐以酸淡也燥除濕故以苦燥其濕也淡利竅故以淡滲泄也藏氣法時論曰脾苦濕急食苦以燥之靈樞經曰淡利竅也生氣通天論曰味過於苦脾氣不濡胃氣乃厚明苦燥也○新校正按天元正紀大論曰下太陰其化下甘溫火淫于内治以鹹冷佐以苦辛以酸收之以苦發之火氣大行心腹心怒之所生也鹹性柔耎故以治之以酸收之大法候其

須汗者以辛佐之不必要資苦味令其汗也欲柔耎者以醎治之藏氣法時論曰心欲耎急食醎而耎之心苦緩急食酸以收之此之謂也燥淫于内治以苦温佐以甘辛以苦下之温利凉性故以苦治之下謂利之使不得也新校正云按藏氣法時論曰肺苦氣上逆急食苦以泄之以辛寫之酸補之又按下文司天燥淫所勝佐以酸辛此云甘辛者甘字疑當作酸天元正紀大論云下酸熱與苦温之治又異又云以酸收之而安其下甚則以苦泄之寒淫于内治以甘熱佐以苦辛以鹹寫之以辛潤之以苦堅之以熱治寒是爲摧勝折其氣用令不滋蘩也苦辛之佐通事行之○新校正云按藏氣法

時論曰腎苦燥急食辛以潤之腎欲堅急食苦以堅之用苦補之鹹寫之舊注引此在濕淫于内之下無義今移於此　帝曰善天氣之變何如歧伯曰厥陰司天風淫所勝則太虛埃昏雲物以擾寒生春氣流水不冰民病胃脘當心而痛上支兩脅鬲咽不通飲食不下舌本強食則嘔冷泄腹脹溏泄瘕水閉蟄蟲不出病本于脾謂乙巳丁巳己巳辛巳癸巳乙亥丁亥己亥辛亥癸亥歲也是歲民病集於中也風自天行故太虛埃起風動飄蕩故雲物擾也埃青塵也不分遠物是爲埃昏土之爲病其

善泄利若病水則小便閉而不下若大泄利則經水亦多閉絶也○新校正云按甲乙經舌本強食則嘔腹脹溏泄瘕水閉爲脾病又胃病者腹脾脹胃脘當心而痛上支兩脇鬲咽不通食飲不下蓋厥陰司天之歲木勝土故病如是 衝陽絶死不治 衝陽在足跗上動脉應手胃之氣也衝陽脉微則食飲減少絶則藥食不入亦下嗌還出也攻之不入養之不生邪氣日強眞氣内絶故其必死不可復也 少陰司天熱淫所勝怫熱至火行其政民病胷中煩熱嗌乾右胠滿皮膚痛寒熱欬喘大雨且至唾血血泄鼽衄嚏嘔溺色變甚則瘡瘍胕腫肩

背臂臑及缺盆中痛心痛肺䐜腹大滿膨膨而喘欬病本于肺謂甲子丙子戊子庚子壬子甲午丙午戊午庚午壬午歲也佛熱至是火行其政乃爾是歲民病集於右蓋以小腸通心故也病自肺生故曰病本於肺也○新校正云按甲乙經溺色變肩背臂臑及缺盆中痛腹脹滿膨膨而喘欬爲肺病鼽衄爲大腸病蓋少陰司天之歲火尅金故病如是又王注民病集於右以小腸通心故按甲乙經大腸附脊左環回腸附脊右環所說不應得非火盛尅金而大腸病歟

尺澤絕死不治尺澤在肘內廉大文中動脈應手肺之氣也火爍於金承天之命金氣內絕故必危亡尺澤不至肺氣已絕榮衛之氣宣行無主真氣內竭生之何

有歲太陰司天濕淫所勝則沈陰旦布雨變枯槁胕腫骨痛陰痺陰痺者按之不得腰脊頭項痛時眩大便難陰氣不用饑不欲食欬唾則有血心如懸病本于腎謂乙丑丁丑己丑辛丑癸丑乙未丁未己未辛未癸未歲也沈久也腎氣受邪水無能潤下焦枯涸故大便難也○新校正云按甲乙經饑不用食欬唾則有血心懸如饑狀爲腎病又邪在腎則骨痛陰痺陰痺者按之而不得腹脹腰痛大便難肩背頸項強痛時眩蓋太陰司天之歲土剋水故病如是

大谿絕死不治大谿在足內踝後跟骨上動脉應手腎之氣也土邪勝水

而腎氣内絶邪甚正微故方無所用矣　少陽司天火淫所勝則溫氣流行金政不平民病頭痛發熱惡寒而瘧熱上皮膚痛色變黃赤傳而爲水身面胕腫腹滿仰息泄注赤白瘡瘍欬唾血煩心胸中熱甚則鼽衄病本乎肺謂甲寅丙寅戊寅庚寅壬寅甲申丙申戊申庚申壬申歲也火來用事則金氣受邪故曰金政不平也火炎於上金肺受邪客熱内燔水無能救故化生諸病也制火之客則已矣○新校正云按甲乙經邪在肺則皮膚痛發寒熱蓋少陽司天之歲火剋金故病如是　天府絶死不治天府

在肘後内側上掖下同身寸之三寸動脉應手肺之氣也火勝而金脉絶故死陽明司天燥淫所勝則木廼晚榮草廼晚生筋骨内變民病左胠脇痛寒清于中感而瘧大涼革候欬腹中鳴注泄鶩溏名木斂生菀于下草焦上首心脇暴痛不可反側嗌乾面塵腰痛丈夫㿗疝婦人少腹痛目眛眥瘍瘡痤癰蟄蟲來見病本于肝謂乙卯丁卯己卯辛卯癸卯乙酉丁酉己酉辛酉癸酉歲也金勝故草木晚生榮也配於人身則筋骨内應而不用也大涼之氣變易時

慄則人寒清發于中內感寒氣則爲痎瘧也大腸居右肺氣通之今肺氣內淫肝居下左故左胠脇痛如刺割也其歲民自注泄則無淫勝之疾也大凉次寒也大凉且甚陽氣不行故木容收斂草榮悉晚生氣已升陽不布令故行積生氣而稸於下也在人之應則少腹之內痛氣居之發生於仲夏瘡瘍之疾猶及秋中瘡痤之患生於上癰腫之類生於下瘡色雖赤中心正白物氣之常也○新校正云按甲乙經腰痛不可以俛仰丈夫㿗疝婦人少腹痛甚則嗌乾面塵爲肝病又胸滿洞泄爲肝病又心瘻痛不能反側目瞀眥瘍缺盆中腫痛腋下腫馬刀挾癭汗出振寒瘧爲膽病蓋陽明司天之歲金尅木故病如是又按脉解云厥陰所謂㿗疝婦人少腹腫者厥陰者辰也三月陽中之陰邪在中故曰㿗疝

少腹腫也痤殂禾切大衝絶死不治大衝在足大指本節後二寸脉動應手肝之氣也金來伐木肝氣內絶眞不勝邪其死宜也太陽司天寒淫所勝則寒氣反至水且冰血變于中發爲癰瘍民病厥心痛嘔血血泄鼽衄善悲時眩仆運火炎烈雨暴廼雹胸腹滿手熱肘攣掖腫心澹澹大動胸脇胃脘不安面赤目黄善噫嗌乾甚則色炲渴而欲飲病本于心謂甲辰丙辰戊辰庚辰壬辰甲戌丙戌戊戌庚戌壬戌歲也太陽司天寒氣布化故水且冰而血凝皮膚

之間衛氣結聚故爲癰也若乗火運而火炎烈與水交戰故暴雨半珠形雹也心氣爲噫故善噫是歳民病集于心脇之中也陽氣内鬱温氣下蒸故心厥痛而嘔血血泄鼽衄面赤目黄善噫手熱肘攣掖腫嗌乾甚則寒氣勝陽水行凌火火氣内鬱故渴而欲飲也病始心生爲陰凌犯故云病本于心也○新校正云按甲乙經手熱肘攣掖腫甚則胸脇支滿心澹澹大動面赤目黄爲手心主病又邪在心則病心痛善悲時眩仆蓋太陽司天之歳水尅火故病如是**神門絶死不治**神門在手之掌後鋭骨之端動脉應手眞心氣也水行勝火而心氣内絶神氣已亡不死何待善知其診故不治也**所謂動氣知其藏也**所以診視而知死者何以皆是藏之經脉動氣知神藏之

存亡爾帝曰善治之奈何謂可攻治者岐伯曰司天之氣風淫所勝平以辛涼佐以苦甘以甘緩之以酸瀉之厥陰之氣未爲盛熱故以涼藥平之夫氣之用也積涼爲寒積溫爲熱以熱少之其則溫也以寒少之其則涼也以溫多之其則熱也以涼多之其則寒也各當其分則寒寒也溫溫也熱熱也涼涼也方書之用可不務乎故寒熱溫涼遷降多少善爲方者意必精通餘氣皆然從其制也○新校正云按本論上文云上淫天下所勝平之外淫于内所勝治之故在泉曰治司天曰平也熱淫所勝平以鹹寒佐以苦甘以酸收之熱氣已退時發動者是爲心虛氣散不斂

以酸收之雖以酸收亦兼寒助乃能殄除其源本矣熱見大甚則以苦發之汗已便凉是邪氣盡勿寒水之汗已猶熱是邪氣未盡則以酸收之已又熱則復汗之已汗復熱是藏虚也則補其心可矣法則合爾諸治熱者亦未必得再三發三治況四變而反覆者乎

濕淫所勝平以苦熱佐以酸辛以苦燥之以淡泄之濕氣所淫皆爲腫滿但除其濕腫滿自衰因濕生病不腫不滿者亦爾治之濕氣在上以苦吐之濕氣在下以苦泄之以淡滲之則皆燥也泄謂滲泄以利水道下小便爲法然酸雖熱以用利小便去伏水也治濕之病不下小便非其法也○新校正云按濕淫于内佐以酸淡此云酸辛者辛疑當作淡

濕上甚而熱治以

苦温佐以甘辛以汗爲故而止身半以上濕氣餘火氣復鬱鬱濕相薄則以苦温甘辛之藥解表流汗而祛之故云以汗爲除病之故而已也火淫所勝平以鹹冷佐以苦甘以酸收之以苦發之以酸復之熱淫同同熱淫義熱亦如此法以酸復其本氣也不復其氣則淫氣空虛招其損燥淫所勝平以苦濕佐以酸辛以苦下之制燥之勝必以苦濕是火之氣味也宜下必以苦宜補必以酸宜寫必以辛清甚生寒留而不去則以苦濕下之氣有餘則以辛寫之諸氣同○新校正云按上文燥淫于内治以苦温此云苦濕濕當爲温文注中濕字三並當作温又按六元

正紀大論亦作苦小温寒淫所勝平以辛熱佐以苦甘以鹹瀉之淫散止之不可過也○新校正云按上文寒淫于内治以甘熱佐以苦辛此云平以辛熱佐以甘苦者此文爲誤又按六元正紀大論云太陽之政歲宜苦以燥之帝曰善邪氣反勝治之奈何不能淫勝於他氣反爲不勝之氣爲邪以勝之岐伯曰風司于地清反勝之治以酸温佐以苦甘以辛平之厥陰在泉則風司于地謂五寅歲五申歲邪氣勝盛故先以酸寫佐以苦甘邪氣退則正氣虛故以辛補養而平之熱司于地寒反勝之治以甘熱佐以苦辛以鹹平

之少陰在泉則熱司于地謂五卯五酉歲也先寫其邪而後平其正氣也濕司于地熱反勝之治以苦冷佐以鹹甘以苦平之太陰在泉則濕司于地謂五辰五戌歲也補寫之義餘氣皆同火司于地寒反勝之治以甘熱佐以苦辛以鹹平之少陽在泉則火司于地謂五巳五亥歲也燥司于地熱反勝之治以平寒佐以苦甘以酸平之以和爲利陽明在泉則寒司于地謂五子五午歲也燥之性惡熱而畏寒故以冷熱和平爲方治也寒司于地熱反勝之治以鹹冷佐以甘辛以苦平之

太陽在泉則寒司于地謂五丑五未歲也此六氣方治與前淫勝法殊貫其云治者寫客邪之勝氣也云佐者皆所利所宜也云平者補已弱之正氣也帝曰其司天
邪勝何如岐伯曰風化於天清反勝之治以
酸温佐以甘苦巳亥歲也熱化於天寒反勝之治
以甘温佐以苦酸辛子午歲也濕化於天熱反勝
之治以苦寒佐以苦酸丑未歲也火化於天寒反
勝之治以甘熱佐以苦辛寅申歲也燥化於天熱
反勝之治以辛寒佐以苦甘卯酉歲也寒化於天

熱反勝之治以鹹冷佐以苦辛辰戌歲也帝曰六氣相勝奈何先舉其用爲勝岐伯曰厥陰之勝耳鳴頭眩憒憒欲吐胃鬲如寒大風數舉倮蟲不滋胠脇氣并化而爲熱小便黄赤胃脘當心而痛上支兩脇腸鳴飧泄少腹痛注下赤白甚則嘔吐鬲咽不通五巳五亥歲也心下齊上謂之分胃鬲謂胃脘之上及大鬲之下風寒氣所生也氣并謂偏着一邊鬲咽謂食飲入而復出也○新校正云按甲乙經胃病者胃脘當心而痛上支兩脇鬲咽不通少陰之勝心下

熱善饑齊下反痛氣遊三焦炎暑至木迺津草迺萎嘔逆躁煩腹滿痛溏泄傳爲赤沃五子五午歲也沃沫也太陰之盛火氣內鬱瘡瘍於中流散於外病在胠脇甚則心痛熱格頭痛喉痺項強獨勝則濕氣內鬱寒迫下焦痛留頂互引眉間胃滿雨數至燥化迺見少腹滿腰脽重強內不便善注泄足下溫頭重足脛胕腫飲發於中胕腫於上五丑五未歲也濕勝於上則火氣內鬱勝於中

則寒迫下焦水溢河渠則鱗蟲離水也脽謂臀肉也不便謂腰重內強直屈伸不利也獨勝謂不兼鬱火也胕腫於上謂首面也足胻腫是火鬱所生也○新校正云詳注云水溢河渠則鱗蟲離水也王作此注於經文無所解又按太陰之復云大雨時行鱗見於陸此文於雨數至下脫少鱗見於陸四字不然則王注無因爲解也少陽之勝熱客於胃煩心心痛目赤欲嘔嘔酸善饑耳痛溺赤善驚譫妄暴熱消爍草萎水涸介蟲迺屈少腹痛下沃赤白五寅五申歲也熱暴甚故草萎水涸陰氣消爍介蟲金化也火氣大勝故介蟲屈伏酸醋水也陽明之勝清發於

中左胠脇痛溏泄內爲嗌塞外發㿗疝大涼肅殺華英改容毛蟲廼殃胷中不便嗌塞而欬五卯五酉歲也大涼肅殺金氣勝木故草木華英爲殺氣損削改易形容而焦其上首也毛蟲木化氣不宜金故金政大行而毛蟲死耗也肝木之氣下主於陰故大涼行而㿗疝發也胃中不便謂呼吸回轉或痛或緩急而不利便也氣太盛故嗌塞而欬也嗌謂喉之下接連胷中肺兩葉之間也太陽之勝凝溧且至非時水冰羽廼後化痔瘧發寒厥入胃則內生心痛陰中廼瘍隱曲不利互引陰股筋肉拘苛

血脉凝泣絡滿色變或爲血泄皮膚否腫腹滿食減熱反上行頭項囟頂腦戶中痛目如脫寒入下焦傳爲濡瀉五辰五戊歲也寒氣凌逼陽不勝之故非寒時而止水冰結也水氣大勝陽火不行故諸羽蟲生化而後也拘急也苛重也絡絡脉也太陽之氣標在於巔故熱反上行於頭也以其脉起於目内眥上額交巔上入絡腦還出别下項故囟頂及腦戶中痛目如欲脫也濡謂水利也○新校正云按甲乙經痔瘧頭項囟頂及腦戶中痛目如脫爲太陽經病帝曰治之奈何岐伯曰厥陰之勝治以甘清佐以苦辛以酸瀉之少

陰之勝治以辛寒佐以苦鹹以甘瀉之太陰之勝治以鹹熱佐以辛甘以苦瀉之少陽之勝治以辛寒佐以甘鹹以甘瀉之陽明之勝治以酸溫佐以辛甘以苦泄之太陽之勝治以甘熱佐以辛酸以鹹瀉之六勝之至皆先歸其不勝已者之故不勝者當先瀉之以通其道次瀉所勝之氣令其退釋也治諸勝而不瀉遣之則勝氣浸盛內生諸病也○新校正云詳此爲治皆先瀉其不勝而後瀉其來勝獨太陽之勝治以甘熱爲異疑甘字苦之誤也若云治以苦熱則六勝之治皆一貫也帝曰六

氣之復何如復謂報復報其勝也凡先有勝後必復○新校正云按玄珠云云六氣分正化對化厥陰正司於亥對化於巳少陰正司於午對化於子太陰正司於未對化於丑少陽正司於寅對化於申陽明正司於酉對化於卯太陽正司於戌對化於辰正司化令之實對司化令之虛對化勝而有復正化化勝而不復此註云凡先有勝後必復似未然岐伯曰悉乎哉問也厥陰之復少腹堅滿裏急暴痛偃木飛沙倮蟲不榮厥心痛汗發嘔吐飲食不入入而復出筋骨掉眩清厥甚則入脾食痺而吐裏腹脇之中也木偃沙飛風之大也風爲木勝故土

不榮氣厥謂氣衝胷脇而痿及心也胃受逆氣而上攻心痛也痛甚則汗發泄裨謂肉中動也清厥手足冷也食庳謂食已心下痛隂隂然不可名也不可忍也吐出乃止此爲胃氣逆而不下流也食飲不入入而復出肝乘脾胃故令爾也衝陽絕死不治衝陽胃脉氣也少陰之復燠熱內作煩躁鼽嚏少腹絞痛火見燔焫嗌燥分注時止氣動於左上行於右欬皮膚痛暴瘖心痛鬱冒不知人迺灑淅惡寒振慄譫妄寒已而熱渴而欲飲少氣骨痿隔腸不便外爲浮腫噦嗌赤氣後

化流水不冰熱氣大行介蟲不福病疿胗瘡瘍癰疽痤痔甚則入肺欬而鼻淵火熱之氣自小腸從齊下之左入大腸上行至左脇甚則上行於右而入肺故動於左上行於右皮膚痛也分注謂大小俱下也骨萎言骨弱無力也隔腸謂腸如隔絕而不便瀉也寒熱甚則然陽明先勝故赤氣後化流水不冰少陰之本司於地也在人之應則冬脉不凝若高山窮谷已是至高之處水亦當冰平下川流則如經矣火氣內蒸金氣外拒陽熱內鬱故為疿胗瘡瘍胗甚亦為瘡也熱少則外生疿胗熱多則內結癰痤小腸有熱則戶外為痔其復熱之變皆病於身後及外側也瘡瘍疿胗生於上癰疽痤痔生於下反其處者皆為逆也天

府絶死不治天府肺脈氣也○新校正云按上文少陰司天熱淫所勝尺澤絶死不治少陽司天火淫所勝天府絶死不治此云少陰之復天府絶死不治下文少陽之復尺澤絶死不治文如相反者蓋尺澤太天府俱手太陰脈之所發動故此互文也

陰之復濕變迺舉體重中滿食飲不化陰氣上厥胷中不便飲發於中欬喘有聲大雨時行鱗見於陸頭頂痛重而掉瘛尤甚嘔而密默唾吐清液甚則入腎竅瀉無度濕氣內逆寒氣不行太陽上流故爲是病頭頂痛重則腦中掉瘛尤甚腸胃寒濕熱無所行熏灼胷府故胷中

不便食飲不化嘔而密默欲靜定也喉中惡冷故唾吐冷水也寒氣易位上入肺喉則息道不利故欬喘而喉中有聲也水居平澤則魚遊於市頭頂囟痛女人亦兼痛於眉間也○新校正云按上文太陰在泉頭痛項似拔又太陰司天云頭項痛頂疑當作項大

谿絕死不治大谿腎脉氣也少陽之復大熱將至枯燥燔爇介蟲廼耗驚瘛欬衄心熱煩燥便數憎風厥氣上行面如浮埃目廼瞤瘛火氣內發上爲口糜嘔逆血溢血泄發而爲瘧惡寒鼓慄寒極反熱嗌絡焦槁渴引水漿色變黃

赤少氣脉萎化而爲水傳爲胕腫甚則入肺欬而血泄火氣專暴枯燥草木燔焫自生故燔爇也火內熾故驚惑欬衂心熱煩燥便數憎風也火炎於上則庶物失色故如塵埃浮於面而目瞤動也火爍於內則口舌糜爛嘔逆及爲血溢血泄風火相薄則爲溫瘧氣蒸熱化則爲水病傳爲胕腫胕謂皮肉俱腫按之陷下泥而不起也如是之證皆火氣所生也尺澤絕死不治尺澤肺脉氣也陽明之復清氣大舉森木蒼乾毛蟲廼厲病生胠脇氣歸於左善太息甚則心痛否滿腹脹而泄嘔吐欬噦煩心病在鬲中頭

痛甚則入肝驚駭筋攣殺氣大舉木不勝之故蒼青之葉不及黃而乾燥也厲謂癘厲疾疫死也清甚於內熱鬱於外故也大衝絕死不治大衝肝脉氣也太陽之復厥氣上行水凝雨冰羽蟲迺死心胃生寒胷中不利心痛否滿頭痛善悲時眩仆食減腰脽反痛屈伸不便地裂冰堅陽光不治少腹控睪引腰脊上衝心唾出清水及為噦噫甚則入心善忘善悲雨水謂雹也寒而遇雹死亦其宜寒化於地其上復土故地遍分裂水積冰堅久而不釋是陽光之氣不

治寒凝之物也太陽之復與不相持上濕下寒火無所往心氣內鬱熱由是生火熱內燔故生斯病○新校正云詳注云與不相持不字疑作土神門絕死不治神門眞心脉氣帝曰善治之奈何復氣倍勝故先問以治之岐伯曰厥陰之復治以酸寒佐以甘辛以酸瀉之以甘緩之不大緩之夏猶不已復重於勝故治以辛寒也○新校正云按別本治以酸寒作治以辛寒也少陰之復治以鹹寒佐以苦辛以甘瀉之以酸收之以苦發之以鹹耎之不大發汗以寒攻之持至仲秋熱內伏結而爲心熱少氣少力而不能起矣熱伏不散歸於骨

也

太陰之復治以苦熱佐以酸辛以苦瀉之燥之泄之不燥泄之久而爲身腫腹滿關節不利腨及伏兎怫滿内作膝腰胻内側附腫病少陽之復治以鹹冷佐以苦辛以鹹耎之以酸收之辛苦發之發不遠熱無犯温涼少陰同法不發汗以奪盛陽則熱内淫於四支而爲解㑊不可名也謂熱不甚謂寒不甚謂強不甚謂弱不甚不可以名言故謂之解㑊粗醫呼爲鬼氣惡病也久久不已則骨熱髓涸齒乾乃爲骨熱病也發汗奪陽故無留熱故發汗者雖熱生病夏月及差亦用熱藥以發之當春秋時縱火熱盛亦不得以熱藥發汗汗不發而藥熱内甚助

病爲瘧逆犯神靈故曰無犯溫涼少陰氣熱爲療則同故云與少陰同法也數奪其汗則津液竭涸故以酸收以鹹潤也○新校正云按六元正紀大論云發表不遠熱陽明之復治以辛溫佐以苦甘以苦泄之以苦下之以酸補之泄謂滲泄汗及小便湯浴皆是也秋分前後則亦發之春有勝則依勝法或不已亦湯漬和其中外也怒復之後其氣皆虛故補之以安全其氣餘復治同太陽之復治以鹹熱佐以甘辛以苦堅之不堅則寒氣內變止而復發發而復止綿歷年歲生大寒疾治諸勝復寒者熱之熱者寒之溫者清之清者溫之散者

收之抑者散之燥者潤之急者緩之堅者耎之脆者堅之衰者補之強者瀉之各安其氣必清必靜則病氣衰去歸其所宗此治之大體也太陽氣寒少陰少陽氣熱厥陰氣溫陽明氣清太陰氣濕有勝復則各倍其氣以調之故可使平也宗屬也調不失理則餘之氣自歸其所屬少之氣自安其所居勝復衰已則各補養而平定之必清必靜無妄撓之則六氣循環五神安泰若運氣之寒熱治之平之亦各歸司天地氣也帝曰善氣之上下何謂也岐伯曰身半以上其氣三矣天之分也天氣主

之身半以下其氣三矣地之分也地氣主之
以名命氣以氣命處而言其病半所謂天樞
也身之半正謂齊中也或以腰爲身半是以
居中爲義過天中也中原之人悉如此矣
當伸臂指天舒足指地以繩量之中正當齊
也故又曰半所謂天樞也天樞正當齊兩傍
同身寸之二寸也其氣三者假如少陰司天
則上有熱中有太陽兼之三也六氣皆然司
天者其氣三司地者其氣三故身半以上三
氣身半以下三氣也以名言其氣以氣言其
處以氣處寒熱而言其病之形證也則如足
厥陰氣居足及股脛之內側上行於少腹循
脇足陽明氣在足之上䯒之外股之前上行
腹齊之傍循胷乳上面足太陽氣起於目上

額絡頭下項背過腰橫過髀樞股後下行入膕貫腨出外踝之後足小指外側足太陰氣循足及股脛之內側上行腹脇之前足少陰同之足少陽氣循脛外側上行腹脇之側循頰耳至目銳眥在首之側此足六氣之部主也手厥陰少陰太陰氣從心胷橫出循臂內側至中指小指大指之端手陽明少陽太陽氣並起手表循臂外側上肩及甲上頭此手六氣之部主也欲知病診當隨氣所在以言之當陰之分冷病歸之當陽之分熱病歸之故勝復之作先言病生寒熱者必依此物理也○新校正云按六微旨大論云天樞之上天氣主之天樞之下地氣主之氣交之分人氣從之

故上勝而下俱病者以地名之下勝而上俱病者以天名之

彼氣

既勝此未能復伸鬱不暢而無所行進則困於讎嫌恐則窮於排塞故上勝至則下與俱病下勝至則上與俱病上勝下病地氣鬱也故從地鬱以名地病下勝上病天氣塞也故從天塞以名天病夫以天名者方順天氣爲制逆地氣而攻之以地名者方從天氣爲制則可假如陽明司天少陰在泉上勝而下俱病者是拂於下而生也天氣正勝天可逆之故順天之氣方同清也少陰等司天上下勝同法○新校正云按六元正紀大論云上勝則天氣降而下下勝則地氣遷而上此之謂也**所謂勝至報氣屈伏而未發也復至則不以天地異名皆如復氣爲法也**勝至未復而病生以天地異名爲式復氣已發則所生無問上勝下勝悉

皆依復氣爲病寒熱之主也帝曰勝復之動時有常乎氣有必乎岐伯曰時有常位而氣無必也雖位有常而發動有無不必定之也帝曰願聞其道也岐伯曰初氣終三氣天氣主之勝之常也四氣盡終氣地氣主之復之常也有勝則復無勝則否帝曰善復已而勝何如岐伯曰勝至則復無常數也衰迺止耳勝微則復微故復已而又勝勝甚則復甚故復已則少有再勝者也假有勝者亦隨微甚而復之爾然勝復之道雖無常數至其衰謝則勝復皆自止也

復已而勝不復則害此傷生也有勝無復是復氣已衰衰不能復是天真之氣已傷敗甚而生意盡帝曰復而反病何也岐伯曰居非其位不相得也大復其勝則主勝之故反病也捨已宮觀適於他邦已力已衰主不相得怨隨其後唯便是求故力極而復主反襲之反自病者也所謂火燥熱也少陽火也陽明燥也少陰熱也少陰少陽在泉爲火居水位陽明司天爲金居火位金復其勝則火主勝之火復其勝則水主勝之餘氣勝復則無主勝之病氣也故又曰所謂火燥熱也帝曰治之奈何岐伯曰夫氣之勝也微者隨之甚

者制之氣之復也和者平之暴者奪之皆隨勝氣安其屈伏無問其數以平爲期此其道也隨謂隨之安謂順勝氣以和之也制謂制止平謂平調奪謂奪其勝氣也治此者不以數之多少但以氣平和爲準度爾帝曰善客主之勝復奈何客謂天之六氣主謂五行之位也氣有宜否故各有勝復之者歧伯曰客主之氣勝而無復也客主自有多少以其爲勝與常勝殊帝曰其逆從何如歧伯曰主勝逆客勝從天之道也客承天命部統其方主爲之下固宜祗奉天命不順而勝則天命不行故爲逆也客勝於

主承天而行理之道故爲順也帝曰其生病何如岐伯曰厥陰司天客勝則耳鳴掉眩甚則欬主勝則胷脇痛舌難以言五巳五亥歲也少陰司天客勝則鼽嚏頸項強肩背瞀熱頭痛少氣發熱耳聾目瞑甚則胕腫血溢瘡瘍欬喘主勝則心熱煩躁甚則脇痛支滿五子五午歲也太陰司天客勝則首面胕腫呼吸氣喘主勝則胷腹滿食已而瞀五丑五未歲也少陽司天客勝則丹胗外發及爲

丹熛瘡瘍嘔逆喉痺頭痛嗌腫耳聾血溢內爲瘛瘲主勝則胷滿欬仰息甚而有血手熱五寅五申歲也陽明司天清復內餘則欬衄嗌塞心鬲中熱欬不止而白血出者死復謂復舊居也白血謂欬出淺紅色血似肉似肺者五卯五酉歲也○新校正云詳此不言客勝主勝者以金居火位無客勝之理故不言也太陽司天客勝則胷中不利出清涕感寒則欬主勝則喉嗌中鳴五辰五戌歲也厥陰在泉客勝則大關節不利內爲痙強拘瘛

外爲不便主勝則筋骨繇併腰腹時痛五寅五申歲也大關節腰膝也少陰在泉客勝則腰痛尻股膝髀腨胻足病瞀熱以酸胕腫不能久立溲便變主勝則厥氣上行心痛發熱鬲中衆痺皆作發於胠脇魄汗不藏四逆而起五卯五酉歲也太陰在泉客勝則足痿下重便溲不時濕客下焦發而濡瀉及爲腫隱曲之疾主勝則寒氣逆滿食飲不下甚則爲疝五辰五戌歲也隱曲之疾謂隱蔽委曲之

處病也少陽在泉客勝則腰腹痛而反惡寒甚則下白溺白主勝則熱反上行而客於心心痛發熱格中而嘔少陰同候五巳五亥歲也陽明在泉客勝則清氣動下少腹堅滿而數便瀉主勝則腰重腹痛少腹生寒下爲鶩溏則寒厥於腸上衝胷中甚則喘不能久立五子五午歲也鶩鴨也言如鴨之後也太陽在泉寒復内餘則腰尻痛屈伸不利股脛足膝中痛五丑五未歲也□新校正云詳此不言客

主勝者蓋太陽以水居水位故不言也帝曰善治之奈何岐伯曰高者抑之下者舉之有餘者折之不足者補之佐以所利和以所宜必安其主客適其寒温同者逆之異者從之高者抑之制其勝也下者舉之濟其弱也有餘者折之屈其銳也不足者補之全其氣也雖制勝扶弱而客主須安一氣失所則矛楯更作榛棘互興各伺其便不相得志內淫外併而危敗之由作矣同謂寒熱温清氣相比和者異謂水火金木土不比和者氣相得者則逆所勝之氣以治之不相得者則順所不勝氣以治之治火勝負欲益者以其味欲瀉者亦以其味勝與不勝皆折其氣也

何者以其性躁動也治熱亦然帝曰治寒以熱治熱以寒氣相得者逆之不相得者從之余巳知之矣其於正味何如岐伯曰木位之主其瀉以酸其補以辛木位春分前六十一日初之氣也火位之主其瀉以甘其補以鹹君火之位春分之後六十一日二之氣也相火之位夏至前後各三十日三之氣也二火之氣則殊然其氣用則一矣土位之主其瀉以苦其補以甘土之位秋分前六十一日四之氣也金位之主其瀉以辛其補以酸金之位秋分後六十一日五之氣也水位

之主其瀉以鹹其補以苦水之位冬至前後各三十日終之氣也

厥陰之客以辛補之以酸瀉之以甘緩之

少陰之客以鹹補之以甘瀉之以鹹收之新校正云按藏氣法時論云心苦緩急食酸以收之心欲耎急食鹹以耎之此云以鹹收之者誤也

太陰之客以甘補之以苦瀉之以甘緩之

少陽之客以鹹補之以甘瀉之以鹹耎之陽明之客以酸補之以辛瀉之以苦泄之太陽之客以苦補之以鹹瀉之以苦堅之以辛潤

之開發腠理致津液通氣也客之部主各六十一日居無常所隨歲遷移客勝則寫客而補主主勝則寫主而補客應隨當緩當急以治之帝曰善願聞陰陽之三也何謂岐伯曰氣有多少異用也太陰爲正陰太陽爲正陽次少者爲少陰次少者爲少陽又次爲陽明又次爲厥陰厥陰爲盡義具靈樞繫日月論中○新校正云按天元紀大論云何謂氣有多少鬼臾區曰陰陽之氣各有多少故曰三陰三陽也帝曰陽明何謂也岐伯曰兩陽合明也靈樞繫日月論曰辰者三月主左足之陽明巳者四月主右足之陽明兩陽合於前故曰陽明也帝曰厥陰何也岐

伯曰兩陰交盡也〔靈樞繫日月論曰戌者九月主右足之厥陰亥者十月主左足之厥陰陰交盡故曰厥陰也〕帝曰氣有多少病有盛衰〔新校正云按天元紀大論云形有盛衰〕治有緩急方有大小願聞其約奈何岐伯曰氣有高下病有遠近證有中外治有輕重適其至所爲故也〔藏位有高下府氣有遠近病證有表裏藥用有輕重調其多少和其緊慢令藥氣至病所爲故勿太過與不及也〕大要曰君一臣二奇之制也君二臣四偶之制也君二臣三奇之制也君三臣六

偶之制也奇謂古之單方偶謂古之複方也單複一制皆有小大故奇方云君一臣二君二臣三偶方云君二臣四君三臣六也病有小大氣有遠近治有輕重所宜故云制也故曰近者奇之遠者偶之汗者不以奇下者不以偶補上治上制以緩補下治下制以急急則氣味厚緩則氣味薄適其至所此之謂也汗藥不以偶方氣不可以外發泄下藥不以奇制藥毒攻而致過治上補上方迅急則止不住而迫下治下補下方緩慢則滋道路而力又微制急方而氣味薄則力與緩等制緩方而氣味厚則勢與急同如是爲緩不能緩急不能急厚而不厚薄而不

薄則大小非制輕重無度則虚實寒熱藏病府紛撓無由致理豈神靈而可望安哉所遠而中道氣味之者食而過之無越其制度也假如病在腎而心之氣味飼而冷足仍急過之不飼以氣味腎藥凌心心復益衰餘上下遠近不同是故平氣之道近而奇偶制小其服也遠而奇偶制大其服也大則數少小則數多多則九之少則二之湯丸多少凡如此也近遠謂府藏之位也心肺爲近肝腎爲遠脾胃居中三陽胞膻膽亦有遠近身三分之上爲近下爲遠也或識見高遠權以合宜方奇而分兩偶方偶而分兩奇如是者近而偶制多數服之遠而

奇制少數服之則肺服九心服七脾服五肝服三腎服一爲常制矣故曰小則數多大則數少○新校正云詳注云三陽胞脂膽一本作三陽胞脂膽再詳三陽無義三陽亦未爲得陽有大小并脂陽爲三今巳云胞脂則不得云三陽三當作二脂之力切奇之不去則偶之是謂重方偶之不去則反佐以取之所謂寒熱溫涼反從其病也方與其重也寧輕與其毒也寧善與其大也寧小是以奇方不去偶方主之偶方病在則反其一佐以同病之氣而取之也夫熱與寒背寒與熱違微小之熱爲寒所折微小之冷爲熱所消甚大寒熱則必能與違性者爭雄能與異氣者相格聲不同不相應氣不同不相合如是則且憚而

不敢攻之攻之則病氣與藥氣抗衡而自爲寒熱以開閉固守矣是以聖人反其佐以同其氣令聲氣應合復令寒熱參合使其終異始同夌潤而敗堅剛強必折柔脆同消爾脆須醉切帝曰善病生於本余知之矣生於標者治之奈何岐伯曰病反其本得標之病治反其本得標之方言少陰太陽之二氣餘四氣標本同帝曰善六氣之勝何以候之岐伯曰乘其至也清氣大來燥之勝也風木受邪肝病生焉流於膽熱氣大來火之勝也金燥受邪肺病生焉流於迴腸大腸

腸○新校正云詳注云迴腸大按甲乙經迴腸即大腸也寒氣大來水之
勝也火熱受邪心病生焉流於三焦小腸濕氣大來
土之勝也寒水受邪腎病生焉流於膀胱風氣大
來木之勝也土濕受邪脾病生焉流於胃所謂
感邪而生病也外有其氣而內惡之中外不喜因而遂病是謂感也乘
年之虛則邪甚也年木不足外有清邪年火不足外有寒邪年土不足
外有風邪年金不足外有熱邪年水不足外有濕邪是年之虛也歲氣不足外邪湊甚也
失時之和亦邪甚也六氣臨統與位氣相剋感之而病亦隨所不勝

而與內藏相應邪復甚也遇月之空亦邪甚也謂上弦前下弦後月輪中空也重感於邪則病危矣年已不足邪氣大至是一感也年已不足天氣剋之此時感邪是重感也內氣召邪天氣不祐欲病之不危可乎有勝之氣其必來復也天地之氣不能相無故有勝之氣其必來復也帝曰其脉至何如岐伯曰厥陰之至其脉弦耎虛而滑端直以長是謂弦實而強則病不實而微亦病不端直長亦病不當其位亦病位不能弦亦病少陰之至其脉鉤來盛去衰如偃帶鉤是謂鉤來不甚去反盛則病來盛去盛亦病來不盛去不盛亦病不當其位亦病位不能鉤亦病太陰

之至其脉沈沈下也按之乃得下諸位脉也沈甚則病不沈亦病不當其位亦病位不能沈亦病少陽之至大而浮浮高也大謂稍大諸位脉也大浮甚則病浮而不大亦病大而不浮亦病不大不浮亦病不當其位亦病位不能大浮亦病陽明之至短而濇往來不利是謂濇也往來不遠是謂短也短甚則病濇甚則病不短不濇亦病不當其位亦病位不能短濇亦病太陽之至大而長往來遠是謂長大甚則病長甚則病長而不大亦病大而不長亦病不當其位亦病位不能長大亦病至而和則平不大甚則爲平調不弱不強是爲和也至而甚則病弦以張弓弦滑如連珠沈而附骨浮高於皮濇而止

隹短如麻黍大如帽簪長如引繩皆謂至而大甚也至而反者病應弦反濇應大反細應沈反浮應浮反沈應短濇反長滑應耎虛反強實應細反大是皆爲氣反常平之候有病乃如此見也至而不至者病氣位已至而脉氣不應也未至而至者病按曆占之凡得節氣當年六位之分當如南北之歲脉象改易而應之氣序未移而脉先變易是先天而至故病陰陽易者危不應天常氣見交錯失其常位更易見之陰位見陽脉陽位見陰脉是易位而見也二氣錯亂故氣危○新校正云按六微旨大論云帝曰其有至而至有至而不至有至而太過何也岐伯曰至而至者和至而不至來氣不及也未至而至來氣有餘也帝曰至而不至未至而至

何如岐伯曰應則順否則逆逆則變生變生則病帝曰請言其應岐伯曰物生其應也氣脉其應也所謂脉應即此脉應也帝曰六氣標本所從不同奈何岐伯曰氣有從本者有從標本者有不從標本者也帝曰願卒聞之岐伯曰少陽太陰從本少陰太陽從本從標陽明厥陰不從標本從乎中也少陽之本火太陰之本濕本末同故從本也少陰之本熱其標陰太陽之本寒其標陽本末異故從本從標陽明之中太陰厥陰之中少陽本末與中不同故不從標本從乎中也從本從標從中皆以其爲化生之用也故從本

者化生於本從標本者有標本之化從中者以中氣爲化也化謂氣化之元主也有病以元主氣用寒熱治之○新校正云按六微旨大論云少陽之上火氣治之中見陽明厥陰之上燥氣治之中見太陰太陽之上寒氣治之中見少陰厥陰之上風氣治之中見少陽少陰之上熱氣治之中見太陽太陰之上濕氣治之中見陽明所謂本也本之下中之見也見之下氣之標也本標不同氣應異象此之謂也 帝曰脉從而病反者其診何如岐伯曰脉至而從按之不鼓諸陽皆然言病熱而脉數按之不動乃寒盛格陽而致之非熱也 帝曰諸陰之反其脉

何如岐伯曰脉至而從按之鼓甚而盛也形證是寒按之而脉氣鼓擊於手下盛者此爲熱盛拒陰而生病非寒也是故百病之起有生於本者有生於標者有生於中氣者有取本而得者有取標而得者有取中氣而得者有取標本而得者有逆取而得者有從取而得者反佐取之是爲逆取奇偶取之是爲從取寒病治以寒熱病治以熱是爲逆取從順也逆正順也若順逆也寒盛格陽治熱以熱熱盛拒陰治寒以寒之類皆時謂之逆外雖用逆中乃順也此逆乃正順也若寒格陽而

治以寒熱拒寒而治以熱外則雖順中氣乃逆故方若順是逆也故曰知標與本用之不殆明知逆順正行無問此之謂也不知是者不足以言診足以亂經故大要曰粗工嘻嘻以爲可知言熱未已寒病復始同氣異形迷診亂經此之謂也

嘻嘻悅也言心意怡悅以爲知道終盡也六氣之用粗之與工得其半也厥陰之化粗以爲寒其乃是温太陽之化粗以爲熱其乃是寒由此差互用失其道故其學問識用不達工之道半矣夫太陽少陰各有寒化熱量其標本應用則正反矣何以言之太陽本爲寒標爲熱少陰本爲熱標爲

寒方之用亦如是也厥陰陽明中氣亦爾厥陰之中氣爲熱陽明之中氣爲濕此二氣亦反其類太陽少陰也然太陽與少陰有標本用與諸氣不同故曰同氣異形也夫一經之標本寒熱既殊言本當究其標論標合尋其本言氣不窮其標本論病未辨其陰陽雖同一氣而主且阻寒温之候故心迷正理治益亂經呼曰粗工允膺其稱爾

夫標本之道要而博小而大可以言一而知百病之害言標與本易而勿損察本與標氣可令調明知勝復爲萬民式天之道畢矣天地變化尚可盡知況一人之診而云冥昧得經之要持法之宗爲天下師尚卑其道萬民之式豈曰大哉○

新校正云按標本病傳論云有其在標而求之於標有其在本而求之於本有其在本而求之於標有其在標而求之於本故治有取標而得者有取本而得者有逆取而得者有從取而得者故知逆與從正行無問知標本者萬舉萬當不知標本是爲妄行夫陰陽逆從標本之爲道也小而大言一而知百病之害少而多淺而博可以言一而知百也以淺而知深察近而知遠言標與本易而勿及治反爲逆治得爲從先病而後逆者治其本先逆而後病者治其本先寒而後生病者治其本先熱而後生病者治其本先熱而後生中滿者治其標先病而後泄者治其本先泄而後生他病者治其本必且調之乃治其他病先病而後生中滿者治其標先中滿而後煩心者治其本人有客氣有同氣大小不利治

其標大小利治其本病發而有餘本而標之先治其本後治其標病發而不足標而本之先治其標後治其本謹察間甚以意調之間者并行甚者獨行先小大不利而後生病者治其本此經論標本尤詳帝曰勝復之變早晏何如歧伯曰夫所勝者勝至已病病已慍慍而復已萌也復心之慍不遠而有夫所復者勝盡而起得位而甚勝有微甚復有少多勝和而和勝虛而虛天之常也帝曰勝復之作動不當位或後時而至其故何也言陽盛於夏陰盛於冬清盛於秋温盛於春天之常候然其勝

復氣用四序不同其何由哉岐伯曰夫氣之生與其化衰
盛異也寒暑溫涼盛衰之用其在四維故陽
之動始於溫盛於暑陰之動始於清盛於寒
春夏秋冬各差其分言春夏秋冬四正之氣在於四維之分也即事
驗之春之溫正在辰巳之月夏之暑正在未
申之月秋之涼正在戌亥之月冬之寒正在
丑寅之月春始於仲春夏始於仲夏秋始於
仲秋冬始於仲冬故丑之月陰結層冰於厚
地未之月陽焰電掣於天垂戌之月霜清肅
殺而庶物堅辰之月風扇和舒而陳柯榮秀
此則氣差其分昭然而不可蔽也然陰陽之
氣生發收藏與常法相會徵其氣化及在人

之應則四時每差其日數與常法相違從差法乃正當之也故大要曰彼
春之暖爲夏之暑彼秋之忿爲冬之怒謹按
四維斥候皆歸其終可見其始可知此之謂
也言氣之少壯也陽之少爲暖其壯也爲暑陰之少爲忿其壯也爲怒此悉謂少壯之
異氣證用之盛衰但立盛衰於四維之位則陰陽終始應用皆可知矣帝曰差
有數乎岐伯曰又凡三十度也度日也○新校正云按六
元正紀大論云差有數乎且後皆三十度而有奇也此云三十度也者此文爲略帝
曰其脉應皆何如岐伯曰差同正法待時而

去也脉亦差以隨氣應也待差日足應王氣至而乃去也脉要曰春不沈夏不弦秋不數冬不濇是謂四塞天地四時之氣閉塞而無所運行也沈甚曰病弦甚曰病濇甚曰病數甚曰病但應天和氣是則爲平形見太甚則爲力致以力而致安能久乎故甚皆病參見曰病復見曰病未去而去曰病去而不去曰病參謂參和諸氣來見復見謂再見已衰已死之氣也去謂王已而去者也日行之度未出於差是爲天氣未出日度過差是爲天氣已去而脉尚在既非得應故曰病反者死夏見沈秋見數冬見緩春見濇是謂反也犯違天命生其能久

乎。新校正云詳上文秋不數是謂四塞此注云秋見數是謂反蓋以脉差只在仲月差之度盡而數不去謂秋之季月而脉尚數則爲反也故曰氣之相守司也如權衡之不得相失也權衡秤也天地之氣寒暑相對溫清相望如特秤也高者否下者否兩者齊等無相奪倫則清靜而生化各得其分也夫陰陽之氣清靜則生化治動則苛疾起此之謂也動謂變動常平之候而爲災眚也苛重也。新校正云按六微旨大論云成敗倚伏生乎動動而不已則變作矣帝曰幽明何如岐伯曰兩陰交盡故曰幽兩陽合明故曰明幽明之配寒暑之異也兩陰交盡於戌亥兩陽合明於辰巳靈樞繫日月論云亥十月左足之厥陰戌九月右足之厥陰此兩陰交盡故曰厥陰辰三月左足之陽明巳四月右足之陽明此兩陽合於前故曰陽明然陰交則幽陽合則明幽明之象當由是也寒暑位西南東北幽明位西北東南幽明之配寒暑之位誠斯異也。新校正云按太始天元册文云幽明既位寒暑弛張帝曰分至何如岐伯曰氣至之謂至氣分之謂分至則氣同分則氣異所謂天地之正紀也因幽明之問而形斯義也言冬夏二至是天地氣主歲至其所在也春秋二分是間氣初二四五四氣各分其政於主歲左右也故曰至則氣同分則氣異也所言二至二分之氣配者此所謂是天地氣之正紀也帝曰夫子言春秋氣始于前冬夏氣始于後余已知之矣然六氣往復主歲不常也其補瀉奈何以分至明六氣分位則初氣四氣始於立春立秋前各一十五日爲紀法三氣六氣始於立夏立冬後各一十五日爲紀法由是四氣前後之紀則三氣六氣之中正當二至日也故曰春秋氣始于前冬夏氣始于後也然以三百六十五日易一氣一歲已往氣則改新新氣既來舊氣復去所宜之味天地不同補瀉之方應知先後故復以問之也歧伯曰上下所主隨其攸利正其味則其要也左右

同法大要曰少陽之主先甘後鹹陽明之主先辛後酸太陽之主先鹹後苦厥陰之主先酸後辛少陰之主先甘後鹹太陰之主先苦後甘佐以所利資以所生是謂得氣主謂主歲得謂得其性用也得其性用則舒卷由人不得性用則動生乖忤豈驅邪之可望乎適足以伐天真之妙氣爾如是先後之味皆謂有病先瀉之而後補之也帝曰善夫百病之生也皆生於風寒暑濕燥火以之化之變也風寒暑濕燥火天之六氣也靜而順者爲化動而變者爲變故曰之化之變也

經言盛者瀉之虛者補之余錫以方士而方士用之尚未能十全余欲令要道必行桴鼓相應由拔刺雪汙工巧神聖可得聞乎鍼曰工巧藥曰神聖○新校正云按難經云望而知之謂之神聞而知之謂之聖問而知之謂之工切脉而知之謂之巧以外知之曰聖以内知之曰神岐伯曰審察病機無失氣宜此之謂也得其機要則動小而功大用淺而功深也帝曰願聞病機何如岐伯曰諸風掉眩皆屬於肝風性動木氣同之諸寒收引皆屬於腎收謂歛也引謂急也

寒物收縮水氣同也諸氣膹鬱皆屬於肺高秋氣涼露氣煙集涼至則氣熱復甚則氣殫微其物象屬可知矣膹謂膹滿鬱謂奔迫也氣之為用金氣同之諸濕腫滿皆屬於脾土薄則水淺土厚則水深土平則乾土高則濕濕氣之有土氣同之諸熱瞀瘛皆屬於火火象微諸痛癢瘡皆屬於心心寂則病微心躁則痛甚百端之起皆自心生痛癢瘡瘍生於心也諸厥固泄皆屬於下下謂下焦肝腎氣也夫守司於下腎之氣門戶東要肝之氣也故諸厥固泄皆屬下也厥謂氣逆固謂禁固諸有氣逆上行及固不禁出入無度燥濕不恒皆由下焦之主守也諸痿喘嘔皆屬於上

上謂上焦心肺氣也炎熱薄爍心之氣也承
熱分化肺之氣也熱鬱化上故病屬上焦○
新校正云詳痿之爲病似非上病王注不解
所以屬上之由使後人疑議今按痿論云五
藏使人痿者因肺熱葉焦發爲痿
躄故云屬於上也痿又謂肺痿也諸禁鼓慄
如喪神守皆屬於火熱之內作諸痙項強皆屬於
濕太陽傷濕諸逆衝上皆屬於火炎上之性用也諸脹腹
大皆屬於熱熱鬱於內肺脹所生諸躁狂越皆屬於火
熱盛於胃及四末也諸暴強直皆屬於風陽內鬱而陰行於外諸
病有聲鼓之如鼓皆屬於熱謂有聲也諸病胕腫

疼酸驚駭皆屬於火諸氣多也諸轉反戾水液渾濁皆屬於熱反戾筋轉也水液小便也諸病水液澄澈清冷皆屬於寒上下所出及吐出溺出也諸嘔吐酸暴注下迫皆屬於熱酸酸水及沫也故大要曰謹守病機各司其屬有者求之無者求之盛者責之虛者責之必先五勝踈其血氣令其調達而致和平此之謂也深乎聖人之言理宜然也有無求之虛盛責之言悉由也夫如大寒而甚熱之不熱是無火也熱來復去晝見夜伏夜發晝止時節而動是無火也當助

甚心又如大熱而甚寒之不寒是無水也熱動復止倏忽往來時動時止是無水也當助其腎內格嘔逆食不得入是有火也病嘔而吐食入反出是無火也暴速注下食不及化是無水也溏泄而久止發無恒是無水也故心盛則生熱腎盛則生寒腎虛則寒動於中心虛則熱收於內又熱不得寒是無火也寒不得熱是無火也夫寒之不寒責其無水熱之不熱責其無火熱之不久責心之虛寒之不久責腎之少有者瀉之無者補之虛者補之盛者瀉之居其中間疏者壅塞令上下無礙氣血通調則寒熱自和陰陽調達矣是以方有治熱以寒寒之而火食不入攻寒以熱熱之而昏躁以生此則氣不疏通壅而為是也紀於水火餘氣可知故曰有者求之無者求之盛者責之虛者責之令氣通調妙之道

也五勝謂五行更勝也先以五行寒暑温凉濕酸鹹甘辛苦相勝爲法也帝曰善五味陰陽之用何如岐伯曰辛甘發散爲陽酸苦涌泄爲陰鹹味涌泄爲陰淡味滲泄爲陽六者或收或散或緩或急或燥或潤或耎或堅以所利而行之調其氣使其平也涌吐也泄利也滲泄小便也言水液自廻腸泌別汁滲入膀胱之中胞氣化之而爲溺以泄出也○新校正云按藏氣法時論云辛散酸收甘緩苦堅鹹耎又云辛酸甘苦鹹各有所利或散或收或緩或急或堅或耎四時五藏病隨五味所宜也帝曰非調氣而

得者治之奈何有毒無毒何先何後願聞其道夫病生之類其有四焉一者始因氣動而内有所成二者因氣動而外有所成三者不因氣動而病生於内四者不因氣動而病治於外夫因氣動而内成者謂積聚癥瘕瘤氣癭起結核癲癇之類也外成者謂癰腫瘡瘍疣疥疽痔掉瘛浮腫目赤瘭胗胕腫痛痒之類也不因氣動而病生於内者謂留飲癖食饑飽勞損宿食霍亂悲恐喜怒想慕憂結之類也生於外者謂瘴氣賊魅蟲蛇蠱毒蜚尸鬼擊衝薄墜墮風寒暑濕所射刺割捶朴之類也如是四類有獨治内而愈者有兼治内而愈者有獨治外而愈者有兼治外而愈者有先治内而後治外而愈者有先治外後治内而愈者有須齊毒而攻擊者有須無毒

而調引者凡此之類方法所施或重或輕或緩或急或收或散或潤或燥或耎或堅方士之用見解不同各擅己心好丹非素故復問之岐伯曰有毒無毒所治爲主適大小爲制也言但能破積愈疾解急逗死則爲良方非必要言以先毒爲是後毒爲非無毒爲非有毒爲是必量病輕重大小制之也帝曰請言其制岐伯曰君一臣二制之小也君一臣三佐五制之中也君一臣三佐九制之大也寒者熱之熱者寒之微者逆之甚者從之夫病之微小者猶人火也遇草而焫得木而燔可以濕伏可以水滅故逆其性氣以折之

攻之病之大甚者猶龍火也得濕而焰遇水而燔不知其性以水濕折之適足以光焰詣天物窮方止矣識其性者反常之理以火逐之則燔灼自消焰火撲滅然逆之謂以寒攻熱以熱攻寒從之謂攻以寒熱雖從其性用不必皆同是以下文曰逆者正治從者反治從少從多觀其事也此之謂乎○新校正云按神農云藥有君臣佐使以相宣攝合和宜用一君二臣三佐五使又可一君二臣九佐使也堅者削之客者除之勞者溫之結者散之留者攻之燥者濡之急者緩之散者收之損者益之逸者行之驚者平之上之下之摩之浴之薄之刼之開之

發之適事爲故量病證候適事用之帝曰何謂逆從岐伯曰逆者正治從者反治從少從多觀其事也言逆者正治也從者反治也逆病氣而正治則以寒攻熱以熱攻寒雖從順病氣乃反治法也從少謂一同而二異從多謂二同而三異也言盡同者是奇制也帝曰反治何謂岐伯曰熱因寒用寒因熱用塞因塞用通因通用必伏其所主而先其所因其始則同其終則異可使破積可使潰堅可使氣和可使必已夫大寒內結稸聚疝瘕以熱攻除除寒格熱反縱反縱之則

痛發尤甚攻之則熱不得前方以蜜煎烏頭佐之以熱蜜多其藥服已便消是則張公從此而以熱因寒用也有火氣動服冷已過熱爲寒格而身冷嘔噦嗌乾口苦惡熱好寒衆議僉同咸呼爲熱冷治則甚其如之何逆其好則拒治順其心則加病若調寒熱逆冷熱必行則熱物冷服下嗌之後冷體既消熱性便發由是病氣隨愈嘔噦皆除情且不違而致大益醇酒冷飲則其類矣是則熱因寒用也所謂惡熱者凡諸食餘氣主於生者○新校正云詳王字疑誤上見之已嘔也又病熱者寒攻不入惡其寒勝熱乃消除從其氣則熱增寒攻之則不入以豉豆諸冷藥酒漬或溫而服之酒熱氣同固無違忤酒熱既盡寒藥已行從其服食熱便隨散此則寒因熱用也或以諸冷物熱齊和之服之食之熱復圍

解是亦寒因熱用也又熱食猪肉及粉葵乳以椒薑橘熱齊和之亦其類也又熱在下焦治亦然假如下氣虛乏中焦氣壅胠脇滿甚食已轉增粗工之見無能斷也欲散滿則恐虛其下補下則滿甚於中散氣則下焦轉虛補虛則中滿滋甚醫病參議言意皆同不救其虛且攻其滿藥入則減藥過依然故中滿下虛其病常在乃不知疎啓其中峻補於下少服則資壅多服則宣通由是而療中滿自除下虛斯實此則塞因塞用也又大熱內結注泄不止熱宜寒療結復須除以寒下之結散利止此則通因通用也又大寒凝內久利溏泄愈而復發綿歷歲年以熱下之寒去利止亦其類也投寒以熱涼而行之投熱以寒溫而行之始同終異斯之謂也諸如此等其徒寔繁略舉宗兆猶是反治之道斯其類也

〇新校正云按五常政大論云治熱以寒溫而行之治寒以熱涼而行之亦熱因寒用寒因熱用之義也帝曰善氣調而得者何如歧伯曰逆之從之逆而從之從而逆之疎氣令調則其道也逆謂逆病氣以正治從謂從病氣而反療逆其氣以正治使其從順從其病以反取令彼和調故曰逆從也下疎其氣令道路開通則氣感寒熱而爲變始生化多端也

帝曰善病之中外何如歧伯曰從內之外者調其內從外之內者治其外各絶其源從內之外而盛於外者先調其內而後治其外從外之

内而盛於内者先治其外而後調其内皆謂先除其根屬後削其枝條中外不相及則治主病中外不相及自各一病也帝曰善火熱復惡寒發熱有如瘧狀或一日發或間數日發其故何也岐伯曰勝復之氣會遇之時有多少也陰氣多而陽氣少則其發日遠陽氣多而陰氣少則其發日近此勝復相薄盛衰之節瘧亦同法陰陽齊等則一日之中寒熱相半陽多陰少則一日一發而但熱不寒陽少陰多則隔日發而先寒後熱雖勝復之

氣若氣微則一發後六七日乃發時謂之愈而復發或頻三日發而六七日止或間十日發而四五日止者皆由氣之多少會遇與不會遇也俗見不遠乃謂鬼神暴疾而又祈禱避匿病勢已過旋至其斃病者殞殁自謂其分致令冤魂塞於廣路夭死盈於曠野仁愛鑒茲能不傷楚習俗既久難卒釐革非復可改末如之何悲哉悲哉

帝曰：論言治寒以熱，治熱以寒，而方士不能廢繩墨而更其道也。有病熱者寒之而熱，有病寒者熱之而寒，二者皆在，新病復起，奈何治？謂治之而病不衰退反因藥寒熱而隨生寒熱病之新者也亦有止而復發者亦有藥在而除藥去而發者亦有全不息者方士若廢此繩墨則無更新之法欲依標格則病勢不除捨之則沮彼凡情治之則藥無能驗心迷意惑無由通悟不知其道何恃而爲因藥病生新舊相對欲求其愈安何奈何

岐伯曰諸寒之而熱者取之陰熱之而寒者取之陽所謂求其屬也

言益火之源以消陰翳壯水之主以制陽光故曰求其屬也夫粗工褊淺學未精深以熱攻寒以寒療熱治熱未已而冷疾已生攻寒日深而熱病更起熱起而中寒尚在寒生而外熱不除欲攻寒則懼熱不前欲療熱則思寒又止進退交戰危亟已臻豈知藏府之源有寒熱溫涼之主哉夫取心者不必齊以熱取腎者不必齊以寒但益心之陽寒亦通行強腎之陰熱之猶可

觀斯之故或治熱以熱治寒以寒萬舉萬全孰知其意思方智極理盡辯窮嗚呼人之死者豈謂命不謂方士愚昧而殺之耶帝曰善服寒而反熱服熱而反寒其故何也岐伯曰治其王氣是以反也物體有寒熱氣性有陰陽觸王之氣則強其用也夫肝氣溫和心氣暑熱肺氣清涼腎氣寒冽脾氣兼并之故也春以清治肝而反溫夏以冷治心而反熱秋以溫治肺而反清冬以熱治腎而反寒蓋由補益王氣大甚也補王大甚則藏之寒熱氣自多矣帝曰不治王而然者何也岐伯曰悉乎哉問也不治五味屬也夫五味入胃各歸所喜攻酸

先入肝苦先入心甘先入脾辛先入肺鹹先入腎新校正云按宣明五氣篇云五味所入酸入肝辛入肺苦入心鹹入腎甘入脾是謂五入久而增氣物化之常也氣增而久夭之由也夫入肝爲溫入心爲熱入肺爲清入腎爲寒入脾爲至陰而四氣兼之皆爲增其味而益其氣故各從本藏之氣用爾故久服黃連苦參而反熱者此其類也餘味皆然但人意踈忽不能精候耳故曰久而增氣物化之常也氣增不已益歲年則藏氣偏勝氣有偏勝則有偏絶藏有偏絶則有暴夭者故曰氣增而久夭之由也是以正理觀化藥集商較服餌曰藥不具五味不備四氣而久服之雖且獲勝益久必致暴夭此之謂也絶粒

服餌則不暴亡斯何由哉無五穀味資助故也復令食穀其亦夭焉帝曰善方制君臣何謂也岐伯曰主病之謂君佐君之謂臣應臣之謂使非上下三品之謂也上藥爲君中藥爲臣下藥爲佐使所以異善惡之名位服餌之道當從此爲法治病之道不必皆然以主病者爲君内君者爲臣應臣之用者爲使皆所以贊成方用也帝曰三品何謂岐伯曰所以明善惡之殊貫也三品上中下三品此明藥善惡不同性用也○新校正云按神農云上藥爲君主養命以應天中藥爲臣主養性以應人下藥爲佐使主治病以應地帝曰善病之中外何

如前問病之中外謂調氣之法今此未盡故復問之此下對其次前求其屬也之下應古之錯簡也岐伯曰調氣之方必別陰陽定其中外各守其鄉內者內治外者外治微者調之其次平之盛者奪之汗之下之寒熱溫涼衰之以屬隨其攸利病有中外治有表裏在內者以內治法和之在外者以外治法和之其次大者以平氣法平之盛甚不已則奪其氣令其衰也假如小寒之氣溫以和之大寒之氣熱以取之甚寒之氣則下奪之奪之不已則逆折之折之不盡則求其屬以衰之小熱之氣涼以和之大熱之氣寒以取之甚熱之氣則汗發之發之不盡則

逆制之制之不盡則求其屬以衰之故曰泝之下之寒熱温涼衰之以屬隨其攸利攸所也

謹道如法萬舉萬全氣血正平長有天命

守道以行舉無不中故能驅役草石召遣神靈調御陰陽蠲除衆疾血氣保平和之候天眞無耗竭之由夫如是者蓋以舒卷在心去留從意故精神内守壽命靈長

帝曰善

補註釋文黄帝内經素問卷之十一

補註釋文黄帝内經素問卷之十二

○著至教論篇第七十五

新校正云按全元起本在四時病類論之本末

黄帝坐明堂召雷公而問之曰子知醫之道乎明堂布政之宫也八窻四闥上圓下方在國之南故稱明堂夫求民之瘼恤民之隱大聖之用心故召引雷公問極濟生靈之道雷公對曰誦而頗能解解而未能別別而未能明明而未能彰言所知解但得法守數而已猶未能深盡精微之妙用也○新校正云按楊上善云習道有五

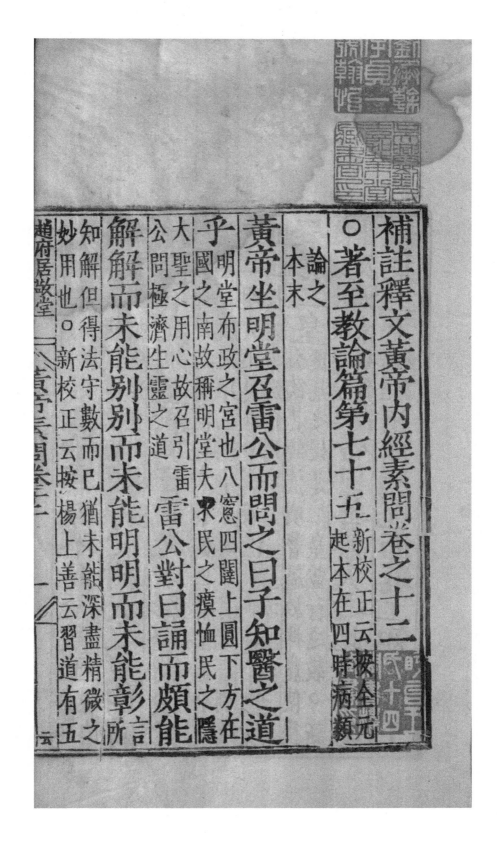

一誦二解三別四明五彰足以治羣僚不足至侯王公不敢自高其道然則布衣與血食主療亦殊矣願得受樹天之度四時陰陽合之別星辰與日月光以彰經術後世益明樹天之度言高遠不極四時陰陽合之言順氣序也別星辰與日月光言別學者二明大小異也○新校正云按太素別作列字上通神農著至教疑於二皇公欲其經法明著通於神農使後世見之疑是二皇並行之教○新校正云按全元起本及太素疑作擬帝曰善無失之此皆陰陽表裏上下雌雄相輸應也而道上知天文下

知地理中知人事可以長久以教衆庶亦不疑殆醫道論篇可傳後世可以爲寶以明著故雷公曰請受道諷誦用解誦亦論也諷論者所以此切近而令解也帝曰子不聞陰陽傳乎曰不知曰夫三陽天爲業天爲業言三陽之氣在人身形所行居上也陰陽傳上古書名化者○新校正云按太素天作大上下無常合而病至偏害陰陽上下無常言氣乖通不定在上下也合而病至謂手足三陽氣相合而爲病至也陽并至則精氣微故偏損害陰陽之用也雷公曰三陽莫當請聞其解

莫當言氣并至而不可當帝曰三陽獨至者是三陽并至并至如風雨上爲巔疾下爲漏病并至謂手三陽足三陽氣并合而至也足太陽脉起於目内眥上額交巔上其支别者從巔至耳上角其直行者從巔入絡腦還出别下項從肩髆内俠脊抵腰中入循膂絡腎屬膀胱手太陽脉起於手循臂上行交肩上入缺盆絡心循咽下鬲抵胃入小腸故上爲巔疾下爲漏病也漏血膿出所謂并至如風雨者言無常準也故下文曰○新校正云按楊上善云漏病謂膀胱漏洩大小便數不禁守也外無期内無正不中經紀診無上下以書别言三陽并至上下無常外無色氣可期内無正經常爾所至之

時皆不中經脈綱紀所病之證又復上下無常以書記銓量乃應分別爾雷公曰臣治疎愈說意而已雷公言臣之所治稀得痊愈請言深意而已疑心乃止也謂得說則疑心乃止帝曰三陽者至陽也六陽幷合故曰至盛之陽也積幷則爲驚病起疾風至如礔礰九竅皆塞陽氣滂溢乾嗌喉塞積謂重也言六陽重幷洪盛莫當陽憤鬱惟盛是爲滂溢無涯故九竅塞也幷於陰則上下無常薄爲腸澼陰謂藏也然陽薄於藏爲病亦上下無常定之診若在下爲病便數赤白此謂三陽直心坐不得起臥者便身全三

陽之病[足太陽脉循肩下至腰故坐不得起臥便身全也所以然者起則陽盛皷故常欲得臥臥則經氣約故身安全○新校正云按甲乙經便身全作身重]且以知天下何以別陰陽應四時合之五行[言知未備也]雷公曰[新校正云按自此至篇末全元起本別爲一篇名方盛衰也]陽言不別陰言不理請起受解以爲至道[帝未許爲深知故重請也]帝曰子若受傳不知合至道以惑師教語子至道之要[不知其要流散無窮後世相習去聖久遠而學者各自是其法則惑亂於師氏之教旨矣]病傷五藏筋骨以消子言

不明不別是世主學盡矣言病之深重尚不明別然輕微者亦何開愈令得遍知耶然猶是不知明世主學教之道從斯盡矣腎且絶惋惋日暮從容不出人事不殷腎藏之易知者也然腎脉且絶則心神内爍筋骨脉肉日晚酸空也暮晚也若以此之類諸藏氣俱少不出者當人事萎弱不復殷多所以爾者是則腎不足非傷損故也○新校正云按太素作腎且絶死死旦暮惋惋烏貫切

○示從容論篇第七十六新校正云按全元起本在第八卷名從容別白黑

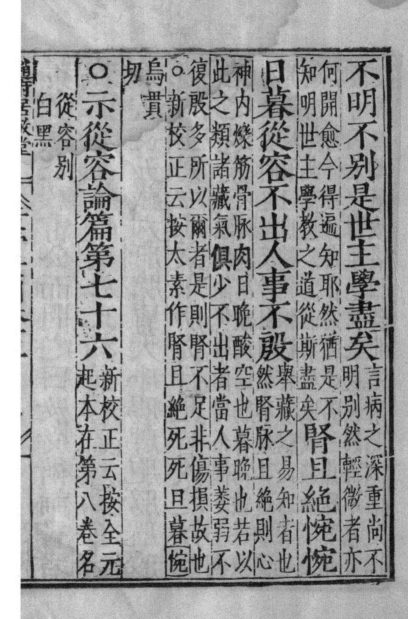

黄帝燕坐召雷公而問之曰汝受術誦書者若能覽觀雜學及於比類通合道理爲余言子所長五藏六府膽胃大小腸脾胞膀胱腦髓涕唾哭泣悲哀水所從行此皆人之所生治之過失

五藏別論黄帝問曰余聞方士或以髓腦爲藏或以腸胃爲藏或以爲府敢問更相反皆自謂是不知其道願聞其說岐伯曰腦髓骨脉膽女子胞此六者地氣所生也皆藏於陰而象於地故藏而不瀉名曰奇恒之府夫胃大腸小腸三焦膀胱此五者天氣之所生也其氣象天瀉而不藏此受五藏濁氣故名曰傳化之府是以古之治

病者以爲過失也子務明之可以十全卽不能知爲世所怨不能知之動陽生者故人聞議論多有怨咎之心焉雷公曰臣請誦脉經上下篇甚衆多矣別異比類猶未能以十全又安足以明之言臣所請誦脉經兩篇衆多別異比類例猶未能以義而會見十全又何足以心明至理乎安猶何也帝曰子別試通五藏之過六府之所不和鍼石之敗毒藥所宜湯液滋味具言其狀悉言以對請問不知過謂過失所謂不率常候而生病者也毒藥攻邪滋味充養試公之問知與不

知爾口新校正云按太素別試作誠別雷公曰肝虛腎虛脾虛皆令人體重煩寃當投毒藥刺灸砭石湯液或已或不已願聞其解公以帝問使言五藏之過毒藥湯液滋味故問此病也帝曰公何年之長而問之少余眞問以自謬也言問之不相應也以問不相應故言余眞發問以自招謬誤之對也吾問子窈冥子言上下篇以對何也窈冥謂不可見者則形氣榮衛也八正神明論岐伯對黄帝曰觀其冥冥者言形氣榮衛之不形於外而工獨知之以日之寒溫月之虛盛四時氣之浮沉參伍相合而調之工常先見之然而不

形於外故曰觀於寘寘焉由此帝故曰吾問子窮寘也然肝虛腎虛脾虛則上下篇之旨帝故曰子言上下篇以對何也夫脾虛浮似肺腎小浮似脾肝急沉散似腎此皆工之所時亂也然從容得之脾虛脈浮候則似肺腎小浮上候則似肝急沉散候則似腎者何以然以三藏相近故脈象參差而相類也是以工惑亂之爲治之過失矣雖爾乎尤宜從容安緩審比類之而得三藏之形候矣何以取之然浮而緩曰脾浮而短曰肺小浮而滑曰心急緊而散曰肝搏沉而滑曰腎不能比類則疑亂彌甚若夫三藏土木水參居此童子之所知問之何也脾合土肝合木腎合水三

藏皆在鬲下居此相近也雷公曰於此有人頭痛筋攣骨重怯然少氣噦噫腹滿時驚不嗜臥此何藏之發也脉浮而弦切之石堅不知其解復問所以三藏者以知其比類也脉有浮弦石堅故云問所以三藏者以知其比類也帝曰夫從容之謂也言此類也夫年長則求之於府年少則求之於經年壯則求之於藏年之長者甚於味年之少者勞於使年之壯者過於内過於内則耗傷精氣勞於使則經中風邪恣於味則傷於府故求之異也今子所言皆失八

風菀熟五藏消爍傳邪相受夫浮而弦者是腎不足也脉浮爲虛弦爲肝氣以腎氣不足故脉浮弦也菀胡阮切沉而石者是腎氣内著也石之言堅也著謂腎氣内薄著而不行也怯然少氣者是水道不行形氣消索也腎氣不足故水道不行肺藏被衝故形氣消散索盡也欬嗽煩冤者是腎氣之逆也腎氣内著上歸於母也一人之氣病在一藏也若言三藏俱行不在法也經不然也雷公曰於此有人四支解墮喘欬血泄而愚診之以爲傷肺

切脉浮大而緊愚不敢治粗工下砭石病愈
多出血血止身輕此何物也帝曰子所能治
知亦衆多與此病失矣以爲傷肺而不敢治是乃狂見法所失矣
砭方念反譬以鴻飛亦沖於天鴻飛沖天偶然而得豈其羽翮之所
能哉粗工下砭石亦由是矣夫聖人之治病循法守度援
物比類化之冥冥循上及下何必守經經謂經脉
非經法也今夫脉浮大虛者是脾氣之外絶去胃
外歸陽明也足太陰絡支別者入絡腸胃是以脾氣外絶不至胃外歸陽明

也夫二火不勝三水是以脉亂而無常也二火
謂二陽藏三水謂三陰藏二陽藏者心肺也
以在鬲上故三陰藏者肝脾腎也以在鬲下
故然三陰之氣不勝二陽陽
不勝陰故故脉亂而無常也四支解墮此脾
精之不行也土主四支故四支解墮
脾精不化故使之然喘欬者
是水氣并陽明也泄謂泄出也然脉氣數急
血溢於中血不入經故爲
血泄以脉奔急而血
溢故曰血無所行也若夫以爲傷肺者由失
以狂也不引比類是知不明也言所識不明
不能比類以
爲傷肺由
失狂言耳夫傷肺者脾氣不守胃氣不清經

氣不爲使眞藏壞決經脉傍絶五藏漏泄不衂則嘔此二者不相類也肺氣傷則脾外救故云脾氣不守肺藏損則氣不行氣不行則胃滿故云胃氣不清肺者主行榮衛陰陽故肺傷則經脉不能爲之行使也眞藏謂肺藏也若肺藏損壞皮膜決破經脉傍絶而不流行五藏之氣上溢而漏泄者不衂血則嘔血也何者肺主鼻胃應口也然口鼻者氣之門戸也今肺藏已損胃氣不清不上衂則血下流於胃中故不衂出則嘔出也然傷肺傷脾衂血泄血標出且與本歸亦殊故此二者不相類也譬如天之無形地之無理白與黑相去遠矣言傷肺傷脾形證懸别譬天地之相遠如黑白之異

象也是失吾過矣以子知之故不告子是猶此也言雷公子之此見病踈者是吾不數子比類之道故自謂過也明引比類從容是以名曰診輕新校正云按太素作經是謂至道也明引形證比量類例今從容之旨則輕微之者亦不失矣所以然者何哉以道之至妙而能爾也從容上古經篇名也何以明之陰陽類論雷公曰臣悉盡意受傳經脉頌得從容之道以合從容明古汶有從容矣

○䟽五過論篇第七十七新校正云按全元起本在第八卷名論過失

黃帝曰嗚呼遠哉閔閔乎若視深淵若迎浮雲視深淵尚可測迎浮雲莫知其際嗚呼遠哉歎至道之不極也閔閔乎言妙用之不窮也深淵清澄見之必定故可測浮雲漂寓際不守常故莫知〇新校正云詳此文與六微旨論文重聖人之術爲萬民式論裁志意必有法則循經守數按循醫事爲萬民副故事有五過四德汝知之乎慎五過則敬順四時之德氣矣然德者道之用生之主故不可不敬順之也上古天眞論曰所以能年皆度百歲而動作不衰者以其德全不危也靈樞經曰天之在我者德也由此則天降德氣

人賴而生生氣抱神上通於天生氣通天論曰夫自古通天者生之本此之謂也○新校正云按爲萬民副揚上善云副助也雷公避席再拜曰臣年幼小蒙愚以惑不聞五過與四德比類形名虛引其經心無所對經未師授心匪生知功業微薄故卑辭也帝曰凡未診病者必問嘗貴後賤雖不中邪病從內生名曰脫營神屈故也貴之尊榮賤之屈辱心懷眷慕志結憂惶故雖不中邪而病從內生血脉虛減故曰脫營嘗富後貧名曰失精五氣留連病有所并富而從欲貧奪豐財內結憂煎外悲過物然則心從

想慕神隨往計榮衛之道閉以遲留氣而不行積并爲病醫工診之不在藏府不變軀形診之而疑不知病名言病之初也病由想戀所爲故未居藏府事因情念所起故不變軀形醫不悉之故診而疑也身體日減氣虛無精言病之次也氣血相迫形肉消爍故身體日減陰陽應象大論曰氣歸精精食氣今氣虛不化精無所滋故也病深無氣洒洒然時驚言病之深也病氣深穀氣盡陽氣内薄故惡寒而驚洒洒寒貌病深者以其外耗於衛内奪於榮血爲憂煎氣隨悲減故外耗於衛内奪於榮病深者何以此耗奪故爾○新校正云按太素病深者以其作病深以甚也良工

所失不知病情此亦治之一過也失謂失問其所始也

凡欲診病者必問飲食居處飲食居處五方不同故問之也異法方宜論曰東方之域天地之所始生魚鹽之地海濵傍水其民食魚而嗜鹹安其處美其食西方金玉之域沙石之處天地之所收引其民陵居而多風水土剛強其民不衣而褐薦其民華食而脂肥北方者天地所閉藏之域其地高陵居風寒冰列其民樂野處而乳食南方者天地所長養陽之所盛處其地下水土弱霧露之所聚其民嗜酸而食胕中央者其地平以濕天地所以生萬物也衆其民食雜而不勞由此則診病之道當先問焉故聖人雜以合法各得其所宜此之謂矣

暴樂暴苦始樂後苦

新校正云按太素作始苦皆傷精氣精氣竭絶形體毀沮喜則氣緩悲則氣消然悲哀動中者竭絶而失生故精氣竭絶形體殘毀心神沮喪矣暴怒傷陰暴喜傷陽怒則氣逆故傷陰喜則氣緩故傷陽厥氣上行滿脉去形厥氣逆也逆氣上行滿於經絡則神氣憚散去離形骸矣愚醫治之不知補瀉不知病情精華日脫邪氣迺并此治之二過也不知喜怒哀樂之殊情槩爲補瀉而同貫則五藏精華之氣日脫邪氣薄蝕而乃并於正眞之氣矣善爲脉者必以比類奇恒從容知之爲工而不知道此診之

不足貴此治之三過也奇恒謂氣候奇異於恒常之候也從容謂分別藏氣虛實脉見上下幾相似也示從容論曰脾虛浮似肺腎小浮似脾肝急沉散似腎此皆工之所時亂然從容分別而得之矣診有三常必問貴賤封君敗傷及欲侯王貴則形樂志樂賤則形苦志苦苦樂殊貴故先問也封君敗傷降君之位封公卿也及欲侯王謂情慕尊貴而妄爲不已也○新校正云按太素欲作公故貴脫勢雖不中邪精神內傷身必敗亡憂惶煎迫怫結所爲始富後貧雖不傷邪皮焦筋屈痿躄爲攣以五藏氣留連病有所并而爲是也醫不能嚴不

能動神外爲柔弱亂至失常病不能移則醫事不行此治之四過也嚴謂戒所以禁非也所以令從命也外爲柔弱言委隨而順從也然戒不足以禁非動不足以從令委隨任物亂失天常病且不移何醫之有也凡診者必知終始有知餘緒切脈問名當合男女始終謂氣色也脈要精微論曰知外者終而始之明知五色氣象終而復始也餘緒謂病發端之餘緒也切謂以指按脈也問名謂問病證之名也男子陽氣多而左脈大爲順女子陰氣多而右脈大爲順故宜以候常先合之也離絶菀結憂恐喜怒五藏空虛血氣離守工不能

知何術之語離謂離間親愛絕謂絕念所懷菀謂菀積思慮結謂結固餘怨夫間親愛者魂遊絕所懷者意喪積所慮者神勞結餘怨者志苦憂愁者閉塞而不行恐懼者蕩憚而失守盛怒者迷惑而不治喜樂者憚散而不藏由是八者故五藏空虛血氣離守工不思曉又何言哉○新校正云按蕩憚而失守甲乙經作不收憚音但嘗富大傷斬筋絕脉身體復行令澤不息斬筋絕脉言非分之過損也身體雖已復舊而行且令津液不爲滋息也何者精氣耗減也澤液也故傷敗結留薄歸陽膿積寒炅陽謂諸陽脉及六府也炅謂熱也言非分傷敗筋脉之氣血氣內結留而不去薄於陽脉則化爲膿久積腹中而外爲寒

熱也粗工治之亟刺陰陽身體解散四支轉筋死日有期不知寒熱爲膿積所生以爲常熱之疾槩施其法數刺陰陽經脈氣奪病甚故身體解散而不用四支廢運而轉筋如是故死日有期豈謂命不謂醫耶醫不能明不問所發唯言死日亦爲粗工此治之五過也言粗工不必謂解不備學者縱備盡三世經法診不備三常療不慎五過不求餘緒不問持身亦足爲粗略之醫爾凡此五者皆受術不通人事不明也言是五者但名受術之徒未足以通悟精微之理人間之事尚猶憒然故曰聖人之治病也必知天地陰陽

四時經紀五藏六府雌雄表裏刺灸砭石毒藥所主從容人事以明經道貴賤貧富各異品理問年少長勇怯之理審於部分知病本始八正九候診必副矣聖人之備識也如此工宜勉之治病之道氣內爲寶循求其理求之不得過在表裏工之治病必在於形氣之內求有過者是爲聖人之寶也求之不得則以藏府之氣陰陽表裏而察之○新校正云按全元起本及太素作氣內爲寶楊上善云天地間氣爲外氣人身中氣爲內氣外氣裁成萬物是爲外實內氣榮衛裁生故爲內實治病能求內

氣之理是治病之要也守數據治無失俞理能行此術終身不殆守數謂血氣多少及刺深淺之數據治謂據穴俞所治之旨而用之也但守數據治而用之則不失穴俞之理矣殆者危也不知俞理五藏菀熟癰發六府菀積也熟熱也五藏積熱六府受之陽熱相薄熱之所過則爲癰診病不審是謂失常謂失常經術正用之道也謹守此治與經相明謂前氣内循求俞會之理也上經下經揆度陰陽奇恒五中決以明堂審於終始可以橫行所謂上經者言氣之通天也下經者言病之變化也言此二經揆度陰陽之氣

奇恒五中者皆決於明堂之部分也揆度者度病之深淺也奇恒者言奇病也五中者謂五藏之氣色也夫明堂者所以視萬物別白黑審長短故曰決以明堂也審於終始者謂審察五色囚王終而復始也夫道循如是應用不窮目牛無全萬舉萬當由斯高遠故可以横行於世間矣

○徵四失論篇第七十八

新校正云按全元起本在第八卷名方論得失明著

黃帝在明堂雷公侍坐黃帝曰夫子所通書受事衆多矣試言得失之意所以得之所以

失之雷公對曰循經受業皆言十全其時有過失者願聞其事解也言循學經師受傳事業皆謂十全於人庶及乎施用正術宣行至道或得失之於世中故請聞其解説也帝曰子年少智未及邪將言以雜合邪言謂年少智未及而不得十全耶爲復且以言而雜合衆人之用耶帝疑先知而反問也夫經脉十二絡脉三百六十五此皆人之所明知工之所循用也謂循學而用也所以不十全者精神不專志意不理外内相失故時疑殆外謂色内謂脉也然精神不專於循用志

意不從於條理所謂粗略揆度失常故色脈相失而時自疑殆也診不知陰陽逆從之理此治之一失矣脈要精微論曰冬至四十五日陽氣微上陰氣微下夏至四十五日陰氣微上陽氣微下陰陽有時與脈為期又曰微妙在脈不可不察察之有紀從陰陽始由此故診不知陰陽逆從之理為一失矣受師不卒妄作雜術謬言為道更名自功新校正云按太素功作巧妄用砭石後遺身咎此治之二失也不終師術惟妄是為易古變常自功循巳遺身之咎不亦宜乎故為失二也老子曰無遺身殃是謂襲常蓋嫌其妄也不適貧富貴賤之居坐之薄厚

形之寒温不適飲食之宜不别人之勇怯不知此類足以自亂不足以自明此治之三失也貧賤者勞富貴者佚佚則邪不能傷易傷以勞勞則易傷以邪其於勞也則富者處貴者之半其於邪也則貧者居賤者之半例率如此然世祿之家或此殊矣夫勇者難感怯者易傷二者不同蓋以其神氣有壯弱也觀其貧賤富貴之義則坐之薄厚形之寒温飲食之宜理可知矣不知比類用必乖衷則適足以汩亂心緒豈通明之可望乎故爲失三也診病不問其始憂患飲食之失節起居之過度或傷於毒不先言此卒持寸口何病能

中妄言作名爲粗所窮此治之四失也憂謂憂懼也患謂患難也飲食失節言甚飽也起居過度言潰耗也或傷於毒謂病不可拘於藏府相乘之法而爲療也卒持寸口謂不先持寸口之脉和平與不平也然工巧備識四術猶疑故診不能中病之形名言不能合經而妄作粗略醫者尚能中妄謬之違背況深明者見而不謂闇非乎故爲失四也是以世人之語者馳千里之外不明尺寸之論診無人事言工之得失毀譽在世人之言語皆可至千里之外然其不明尺寸之診論當以何事知見於人耶治數之道從容之葆治王也葆平也言診數當王之氣皆以氣高下而爲比類之原本也

故下文曰葆音保坐持寸口診不中五脉百病所起始以自怨遺師其咎自不能深學道術而致診差違始上申怨謗之詞遺過咎於師氏者未之有也是故治不能循理棄術於市妄治時愈愚心自得不能修學至理乃衒賣於市廛人不信之謂乎虛謬故云棄術於市也然愚者百慮而一得何自功之有耶○新校正云按全元起本作自巧太素作自功嗚呼窈窈冥冥熟知其道今詳熟當作孰道之大者擬於天地配於四海汝不知道之諭受以明爲晦嗚呼歎也窈窈冥冥言玄遠也至道玄遠誰得知之孰誰

也擬於天地言高下之不可量也配於四海言深廣之不可測也然不能曉諭於道則受明道而成暗昧也晦暗也

○陰陽類論篇第七十九新校正云按全元起本在第八卷

孟春始至黃帝燕坐臨觀八極正八風之氣而問雷公曰陰陽之類經脉之道五中所主何藏最貴孟月春始至謂立春之日也燕安也觀八極謂視八方遠際之色正八風謂候八方所至之風朝會於太一者也五中謂五藏○新校正云詳八風朝太一具天元玉冊中又按楊上善云夫天爲陽地爲陰人爲和陰無其陽衰殺而已陽無其陰生

長不止生長不止則傷於陰陰傷則陰災起衰殺不已則傷於陽陽傷則陽禍生矣故須聖人在天地間和陰陽氣令萬物生也和氣之道謂先脩身爲德則陰陽氣和陰陽氣和則八節風調八節風調則八虛風止於是疵癘不起嘉祥竟集此亦不知所以然而然也故黃帝問身之經脉貴賤依之調攝脩德於身以正八風之氣 雷公對曰春甲乙青中主肝治七十二日是脉之主時臣以其藏最貴 東方甲乙春氣主之自然青色內通肝也金匱眞言論曰東方青色入通於肝故曰青中主肝也然五行之氣各主七十二日五七二五積而乘之則終一歲之數三百六十日故云治七十二日也夫四時之氣以春爲始五藏之應肝藏合之

公故以其藏爲最貴藏或爲道非也帝曰却念上下經陰陽從容子所言貴最其下也從容謂安緩比類也帝念脉經上下篇陰陽比類形氣不以肝藏爲貴故謂公之所貴最其下也雷公致齋七日旦復侍坐悟非故齋以洗心願益故坐而復請帝曰三陽爲經二陽爲維一陽爲游部經謂經綸所以濟成務維謂維持所以繫天眞游謂游行部謂身形部分也故主氣者濟成務化谷者繫天眞主色者散布精微游行諸部也○新校正云按楊上善云三陽足太陽脉也從目内眥上頭分爲四道下項幷正别脉上下六道以行於背與身爲經二陽足陽明脉也從鼻而起下咽分爲四道幷正

別脉六道上下行腹綱維於身一陽足少陽脉也起目外眥絡頭分爲四道下缺盆幷正別脉六道上下主經營百節流氣三部故曰游部此知五藏終始觀其經綸維繫游部之義則五藏之終始可謂知矣三陽爲表二陰爲裏三陽太陽二陰少陰也少陰與太陽爲表裏故曰三陽爲表二陰爲裏一陰至絕作朔晦却具合以正其理一陰厥陰也厥猶盡也靈樞經曰亥爲左足之厥陰戌爲右足之厥陰兩陰俱盡故曰厥陰夫陰盡爲晦陰生爲朔厥陰者以陰盡爲義也徵其氣王則朔適言其氣盡則晦既見其朔又當其晦故曰一陰至絕作朔晦也然徵彼俱盡之陰合此發生之木以正應五行之理而無替循環故云却具合

以正其理也。新校正云：按注言陰盡爲晦，陰生爲朔，疑是陽生爲朔。雷公曰：受業未能明。言未明氣候之應見。帝曰：所謂三陽者，太陽爲經，陽氣盛大，故曰太陽。三陽脉至手太陰，而弦浮而不沉，决以度，察以心，合之陰陽之論。太陰爲寸口也。寸口者，手太陰也，脉氣之所行，故脉皆至於寸口也。太陽之脉洪大以長，今弦浮不沉，則當約以四時高下之度而斷决之，察以五藏異同之候而參合之，以應陰陽之論，知其藏否耳。所謂二陽者，陽明也，靈樞經曰：辰爲左足之陽明，巳爲右足之陽明，兩陽合明，故曰二陽者陽明也。至手太陰，弦而沉急不鼓炅至以病皆死鼓謂鼓動炅熱也陽明之脉浮大而短今弦而沉急不鼓者是陰氣勝陽木來乘土也然陰氣勝陽木來乘土而反熱病至者是陽氣之衰敗也猶燈之燄欲滅反明故皆死也一陽者少陽也陽氣未大故曰少陽至手太陰上連人迎弦急懸不絕此少陽之病也人迎謂結喉兩傍同身寸之一寸五分脉動應手者也弦爲少陽之脉今急懸不絕是經氣不足故曰少陽之專病也懸者謂如懸物動搖者也專陰則死專獨也言其獨有陰氣而無陽氣則死三陰者六經之所主也三陰者太陰也言所以諸脉皆至手太陰者何耶以是六經之主故也六經謂三陰三陽之經

脉也所以至手太陰者何以肺朝百脉之氣皆交會於氣口也故下文曰交於太陰此正發明肺朝百脉之義也經脉别論云肺朝百脉伏鼓不浮上空志心脉伏鼓擊而不上浮者是心氣不足故上控引於心而爲病也志心謂小心也刺禁論曰七節之傍中有小心此之謂也○新校正云按楊上善云肺脉浮濇此爲平也今見伏鼓是腎脉也足少陰脉貫脊屬腎上入肺中從肺出絡心肺氣下入腎志上入心神也王氏謂志心爲小心義未通二陰至肺其氣歸膀胱外連脾胃二陰謂足少陰腎之脉少陰之脉别行者入跟中以上至股內後廉貫脊屬腎絡膀胱其直行者從腎上貫肝膈入肺中故上至於肺其氣歸於膀胱外連於脾胃

一陰獨至經絶氣浮不鼓鉤而滑若一陰獨至肺經氣内絶則氣浮不鼓於手若經不内絶則鉤而滑○新校正云按楊上善云一陰厥陰也此六脉者乍陰乍陽交屬相并繆通五藏合於陰陽或陰見陽脉陽見陰脉故云乍陰乍陽也所以然者以氣交會故爾當審比類以知陰陽也先至爲主後至爲客脉氣乍陰見陽乍陽見陰何以别之當以先至爲主後至爲客也至謂至寸口也雷公曰臣悉盡意受傳經脉頌得從容之道以合從容不知陰陽不知雌雄頌謂今誦也公言臣所頌誦今從容之妙道欲合上古從

容而比類形名猶不知陰陽尊卑之次不知雌雄殊目之義請行其旨以明著至教陰陽雌雄相輸應也帝曰三陽爲父父所以督濟羣小言高尊也二陽爲衛衛所以却禦諸邪言扶生也一陽爲紀紀所以綱紀形氣言其平也三陰爲母母所以育養諸子言滋生也二陰爲雌雌者陰之目也一陰爲獨使一陰之藏外合三焦三焦主謁導諸氣名爲使者故云獨使也二陽一陰陽明主病不勝一陰脉耎而動九竅皆沉一陰厥陰肝木氣也二陽陽明胃土氣也木土相薄故陽明主病也木伐其土土不勝木故云不勝一陰脉耎而動者耎爲胃氣動謂木形土木相特則胃氣

不轉故九竅沉滯而不通利也三陽一陰太陽脉勝一陰不能止內亂五藏外爲驚駭三陽足太陽之氣故曰太陽勝也木生火今盛陽燔木木復受之陽氣洪盛內爲狂熱故內亂五藏也肝主驚駭故外形驚駭之狀也二陰二陽病在肺少陰脉沉勝肺傷脾外傷四支二陰謂手少陰心之脉也二陽亦胃脉也心胃合病邪上下并故內傷脾外勝肺也所以然者胃爲脾府心火勝金故爾脾主四支故脾傷則外傷於四支矣少陰脉謂手掌後同身寸之五分當小指神門之脉也○新校正云詳此二陽乃手陽明太陽肺之府也少陰心火勝金之府故云病在肺王氏以二陽爲胃義未甚通況又以見

胃病腎之說此乃是心病肺也又全元起本及甲乙經太素等並云二陰一陽

二陰二陽皆交至病在腎罵詈忘行巔疾爲狂

二陰爲腎水之脉也二陽爲胃土之府也土氣刑水故交至而病在腎也以腎水不勝故胃盛而巔爲狂

二陰一陽病出於腎陰氣客遊於心脘下空竅堤閉塞不通四支別離

一陽謂手少陽三焦心主火之府也水上于火故火病出於腎陰氣客游於心也何者腎之脉從腎上貫肝膈入肺中其支別者從肺中出絡心注胸中故如是也然空竅陰客上游胃不能制胃不能制是土氣衰故脘下空竅皆不通也言堤者謂如堤堰不容泄漏胃脉循足心脉絡手故四支

如别離而不用也○新校正云按王氏云胃脉循足按此二陰一陽病出於腎胃當作腎

一陰一陽代絶此陰氣至心上下無常出入不知喉咽乾燥病在土脾一陰厥陰脉一陽少陽脉並木之氣也代絶者動而中止也以其代絶故爲病也木氣生火故病生而陰氣至心也夫肝膽之氣上至頭首下至腰足中至腹脇故病發上下無常處也若受納不知其味竅寫不知其度而喉咽乾燥者喉嚨之後又咽屬爲膽之使故病則咽喉乾燥雖病在脾土之中蓋由肝膽之所爲爾

二陽三陰至陰皆在陰不過陽陽氣不能止陰陰陽並絶浮爲血瘕沉爲膿胕二陽

陽明三陰手太陰至陰脾也故病至陰陰皆在也然陰氣不能過越於陽陽氣不能制心令陰陽相薄故脉並絶斷而不相連續也脉浮爲陽氣薄陰故爲血瘕脉沉爲陰氣薄陽故爲膿聚而胕爛也陰陽皆壯下至陰陽若陰陽皆壯而相薄不已者漸下至陰陽之內爲大病矣陰陽者男子爲陽道女子爲陰器者以其盛受故也上合昭昭下合冥冥昭昭謂陽明之上冥冥謂至陰之內幽暗之所也診決死生之期遂至歲首謂下短期之旨雷公曰請問短期黃帝不應欲其復問而寶之也雷公復問黃帝曰在經論中上古經之中也○新校正云按全元起本自雷公已下別爲一

篇名四時病類雷公曰請問短期黃帝曰冬三月之病病合於陽者至春正月脉有死徵皆歸出春病合於陽謂前陰合陽而爲病者也雖三月脉有死徵陽巳發生至王不死故出春三月而至夏初也冬三月之病在理已盡草與柳葉皆殺裏謂二陰腎之氣也然腎病而正月脉有死徵者以枯草盡靑松葉生出而皆死也理裏也巳以也古用同春陰陽皆絕期在孟春孟春之後而脉陰陽皆懸絕者期死不出正月○新校正云太素無春字春三月之病曰陽殺陽病不謂傷寒溫熱之病謂非時病熱脉洪盛數也然春三月中陽氣尚

少未當全盛而反病熱脈應夏氣者經云脈不再見夏脈當洪數無陽外不應故必死於夏至也以死於夏至陽氣殺物之時故云陽殺陰陽皆絕期在草乾若不陽病但陰陽之脈皆懸絕者死在於霜降草乾之時也夏三月之病至陰不過十日謂熱病也脾熱病則五藏危土成數十故不過十日也陰陽交期在溓水評熱病論曰溫病而汗出輒復熱而脈躁疾不爲汗衰狂言不能食者病名曰陰陽交六月病暑陰陽復交二氣相持故乃死於立秋之後也○新校正云按全元起本云溓水者七月也建申水生於申陰陽逆也楊上善云溓廉檢切水靜也七月水生時也秋三月之病三陽俱起不治自

巳秋陽氣衰陰氣漸出陽不勝陰故自巳也陰陽交合者立不能坐坐不能起以氣不出其正用故爾三陽獨至期在石水有陽無陰故云獨至也著至教論曰三陽獨至者是三陽并至由此則但有陽而無陰也石水者謂冬月水冰如石之時故云石水也火墓於戌冬陽氣微故石水而死也○新校正云詳石水之解本全元起之說王氏取之二陰獨至期在盛水亦所謂并至而無陽也盛水謂雨雪皆解爲水之時則正謂正月中氣也○新校正云按全元起本二陰作三陰

○方盛衰論篇第八十新校正云按全元起本在第八卷

雷公請問氣之多少何者爲逆何者爲從黃帝荅曰陽從左陰從右陽氣之多少者從左陰氣之多少者從右從者爲順反者爲逆陰陽應象大論曰左右者陰陽之道路也老從上少從下老者穀衰故從上爲順少者欲甚故從下爲順是以春夏歸陽爲生歸秋冬爲死歸秋冬謂反歸陰也歸陰則順殺伐之氣故也反之則歸秋冬爲生反之謂秋冬秋冬則歸陰爲生也是以氣多少逆皆爲厥陽氣之多少反從右陰氣之多少反從左是爲不順故曰氣少多逆也如是從左從右之不順者皆爲厥厥謂氣逆故曰皆爲厥也問曰有餘

者厥耶言少之不順者爲逆有餘者則成厥逆之病乎答曰一上不下寒厥到膝少者秋冬死老者秋冬生一經之氣厥逆上而陽氣不下者何以别之寒厥到膝是也四支者諸陽之本當温而反寒上故曰寒厥也秋冬謂歸陰歸陰則從右發生其病也少者以陽氣用事故秋冬死老者以陰氣用事故秋冬生○新校正云按楊上善云虛者厥也陽氣一上於頭不下於足足脛虛故寒厥至膝氣上不下頭痛巓疾巓謂身之上巓疾則頭首之疾也求陽不得求陰不審五部隔無徵若居曠野若伏空室緜緜乎屬不滿日謂之陽乃脉似陰盛謂之陰又

脉似陽盛故曰求陽不得求陰不審也五部謂五藏之部隔謂隔遠無徵無徵猶無可信驗也然求陽不得其熱求陰不審是寒五藏部分又隔遠無可信驗故曰求陽不得求陰不審五部隔無徵也夫如是者乃從氣久逆所作非由陰陽寒熱之氣所爲也若居曠野言心神散越若伏空室謂志意沉潛散越以氣逆而痛甚未止沉潛以痛定而復恐再來也緜緜乎謂動息微也身雖緜緜乎且存然其心所屬望將不得終其盡日也故曰緜緜乎屬不滿日也○新校正云按太素云若是伏空室爲陰陽之一有此五字疑此脱漏

以少陰之厥令人妄夢其極至迷氣之少有厥逆則令人妄爲夢寐其厥之盛極則令人夢至迷亂三陽絶三陰微是爲

少氣三陽之脉懸絶三陰之診細微是爲少氣之候也○新校正云按太素云三陽絶氣是爲少氣是以肺氣虛則使人夢見白物見人斬血籍籍白物是象金之色也斬者金之用也籍籍夢死狀也得其時則夢見兵戰得時謂秋三月也金爲兵革故夢見兵戰腎氣虛則使人夢見舟船溺人舟船溺人皆水之用腎象水故夢形之得其時則夢伏水中若有畏恐冬三月也肝氣虛則夢見菌香生草菌香草生草木之類也肝合草木故夢見之○新校正云按全元起本云菌香是桂菌祛倫切得其時則夢伏樹下不敢

起春三月也心氣虛則夢救火陽物心合火故夢之陽物亦火之義得其時則夢燔灼夏三月也脾氣虛則夢飲食不足脾納水穀故夢飲食不足得其時則夢築垣蓋屋得其時謂辰戌丑未之月各王十八日築垣蓋屋皆土之用此皆五藏氣虛陽氣有餘陰氣不足府者陽氣藏者陰氣合之五診調之陰陽以在經脈靈樞經曰備有調陰陽合五診故引之曰以在經脈經脈則靈樞經之篇目也診有十度度人脈度藏度肉度筋度俞度度各有其一故一五爲十以量度陰陽氣盡人病

自具診備蓋陰陽虛盛之理則人病自具知之脉動無常散陰頗陽脉脫不具診無常行診必上下度民君卿脉動無常數者是陰散而陽頗調理也若脉診脫略而不具備者無以常行之診而察候之則當度量民及君卿三者謂養之殊異爾何者憂樂苦分不同秩故也受師不卒使術不明不察逆從是爲妄行持雌失雄棄陰附陽不知并合診故不明皆謂學不該備傳之後世反論自章章露也以不明而授與人反古之迹自然章露也至陰虛天氣絕至陽盛地氣不足至陰虛天氣絕而不降至

陽盛地氣微而不升是所謂不交通也至謂至盛也陰陽並交至人之所行交謂交通也惟聖人乃能調理使行也陰陽並交者陽氣先至陰氣後至陰陽之氣並行而交通於一處者則當陽氣先至陰氣後至何者陽速而陰遲也靈樞經曰所謂交通者並行一數也由此則二氣亦交會於一處也是以聖人持診之道先後陰陽而持之奇恒之勢乃六十首診合微之事追陰陽之變章五中之情其中之論取虛實之要定五度之事知此乃足以診奇恒勢六十首今世不傳是以切陰

不得陽診消亡得陽不得陰守學不湛知左不知右知右不知左知上不知下知先不知後故治不久知醜知善知病知不病知高知下知坐知起知行知止用之有診診道乃具萬世不殆聖人持診之明誡也起所有餘知所不足實命全形論曰内外相得無以形先言起巴身之有餘則當知病人之不足也度事上下脉事因格度事上下之宜脉事因而至於微妙矣格至也是以形弱氣虚死中外俱不足也形氣有餘脉氣不足死藏衰

故脉不足也脉氣有餘形氣不足生藏盛故脉氣有餘是
以診有大方坐起有常坐起有常則息力調適故診之方法必先用之
出入有行以轉神明言所以貴坐起有常者何以出入行運皆神明隨轉也
必清必靜上觀下觀司八正邪別五
中部按脉動靜上觀謂氣色下觀謂形氣也八正謂八節之正候五中謂五藏之部分然後按寸尺之動靜而定死生矣循尺滑濇寒溫之意
視其大小合之病能逆從以得復知病名診
可十全不失人情故診之或視息視意故不

失條理數息之長短候脉之至數故診之法或視喘息也知息合脉病處必知聖人察候條理斯皆合也道甚明察故能長久不知此道失經絕理亡言妄期此謂失道謂失精微至妙之道也

○解精微論篇第八十一新校正云按全元起本在第八卷名方論解

黃帝在明堂雷公請曰臣授業傳之行教以經論從容形法陰陽刺灸湯藥所滋行治有賢不肖未必能十全言所自授用可十全然傳所教習未能必爾也

賢謂心明智遠不肖謂擁造不法若先言悲哀喜怒燥濕寒暑陰陽婦女請問其所以然者卑賤富貴人之形體所從羣下通使臨事以適道術謹聞命矣皆以先聞聖旨尤未究其意端請問有毚愚仆漏之問不在經者欲聞其狀言不智狡見頻問多也漏脫漏也謂經有所奉解者也毚狡也愚不智見也仆尤頻也尤不斷也○新校正云按全元起本仆作朴帝曰大矣人之所大要也公請問哭泣而淚不出者若出而少涕其故何也言何藏之不爲而致是乎帝曰在經

有也靈樞經有悲哀涕泣之義復問不知水所從生涕所從出也復問重問也欲知水涕所生之由也帝曰若問此者無益於治也工之所知道之所生也言涕水者皆道氣之所生問之何也夫心者五藏之專精也專任也言五藏之精氣任心之所使以爲神明之府是故能焉目者其竅也神內守明外鑒故目其竅也華色者其榮也華色其神明之外飾是以人有德也則氣和於目有亡憂知於色德者道之用人之生也老子曰道生之德畜之氣者生之生神之舍也天布德地化氣故人因之以生也氣和則神安神

安則外鑒明矣氣不和則神不守神不守則外榮滅矣故曰人有德也氣和於目有亡也憂知於色也○新校正云按太素德作得是以悲哀則泣下泣下水所由生水宗者積水也新校正云按甲乙經云水宗作衆精積水者至陰也至陰者腎之精也宗精之水所以不出者是精持之也輔之裹之故水不行也夫水之精爲志火之精爲神水火相感神志俱悲是以目之水生也目爲上液之道故水火相感神志俱悲水液上行乃生於目故諺言曰心悲名曰志悲志

與心精共湊於目也水火相感故曰心悲名曰志悲神志俱昇故志與心神共奔湊於目湊倉勾切是以俱悲則神氣傳於心精上不傳於志而志獨悲故泣出也泣涕者腦也腦者陰也五藏別論以腦爲地氣所生皆藏於陰而象於地故言腦者陰陽上爍也爍則銷也○新校正云按全元起本及甲乙經太素陰作陽髓者骨之充也充滿也言髓塡於骨充而滿也故腦滲爲涕鼻竅通腦故腦滲爲涕流於鼻中矣志者骨之主也是以水流而涕從之者其行類也類謂同類夫涕之與泣者譬如人

之兄弟急則俱死生則俱生同源故生死俱○新校正云按太素生則俱生作出則俱亡其志以早悲是以涕泣俱出而横行也行恐當爲流夫人涕泣俱出而相從者所屬之類也所屬謂於腦也何者上文云涕泣者腦也雷公曰大矣請問人哭泣而淚不出者若出而少涕不從之何也怪其所屬同而行出異也帝曰夫泣不出者哭不悲也不泣者神不慈也神不慈則志不悲陰陽相持泣安能獨來泣不出者謂淚也不泣者泣謂哭也水之

精爲志火之精爲神水爲陰火爲陽故曰陰陽相持泣安能獨來也夫志悲者惋惋則冲陰冲陰則志去目志去則神不守精精神去目涕泣出也惋謂內爍也冲尤升也神志相感泣由是生故內爍則陽氣升於陰也陰腦也去目謂陰不守目也志去於目故神亦浮游夫志去目則光無內照神失守則精不外明故曰精神去目涕泣出也且子獨不誦不念夫經言乎厥則目無所見夫人厥則陽氣并於上陰氣并於下并謂各并於本位也陽并於上則火獨光也陰并於下則足寒足寒則脹也

夫一水不勝五火故目眥盲眥視也一水目也五火謂五藏之厥陽也○新校正云按甲乙經無盲字是以氣衝風泣下而不止夫風之中目也陽氣內守於精是火氣燔目故見風則泣下也風迫陽伏不發故內燔也有以比之夫火疾風生乃能雨此之類也故陽并則火獨光盛於上不明於下是故目者陽之所生系於藏故陰陽和則精明也陽厥則光不上陰厥則足冷而脹也言一水不勝五火者是手足之陽為五火下一陰者肝之氣也衝風泣下而不止者言風之中於目也是陽氣內守於精故陽氣盛而火氣燔於目風與熱交故泣下是故

火疾而風生乃能雨以陽火之熱而風生於
逆以此譬之類也○新校正云按甲乙經無
火字太素云天之疾
風乃能雨無生字

補註釋文黄帝内經素問卷之十二 終

黄帝内經素問遺篇

○刺法論第七十二

黄帝問曰：升降不前，氣交有變，即成暴鬱，余已知之。如何預救生靈，可得却乎？却之言去也，何以法之。岐伯稽首再拜對曰：昭乎哉問！臣聞夫子言，既明天元，須窮法刺，可以折鬱扶運，補弱全真，瀉盛蠲餘，令除斯苦。夫子者，祖師僦貸季。折謂折伏也，扶謂扶持也，蠲除也，斯此也，令除此苦也。帝曰：願卒聞之。岐伯曰：

升之不前即有甚凶也木欲升而天柱窒抑之木欲發鬱亦須待時木發待間氣也至天作間氣之時作也欲發可刺之也當刺足厥陰之井足厥陰之井即大敦穴在足大指端去爪甲上如韭葉三毛之中乃足厥陰之所出也於平旦水下一刻時以手按穴得動脈下鍼可及三分留六呼如得氣急出之先刺左後刺右又可春分日吐之無此管也火欲升而天蓬窒抑之火欲發鬱亦須待時火鬱待時至天作左間氣之時也其發也君火春分相火小滿即欲發之時也故君火相火同法即是二時而可頭刺之也君火相火同刺包絡之滎心包

絡之滎在手掌中營宮穴也水下二刻以手按穴動脉應手刺可同身寸之三分留六呼得氣而急出之先左後右又法當春三泄汗也土欲升而天衝窒抑之土欲發鬱亦須待時土鬱待時至天作左間氣之時也土發鬱日維辰維也多於二間維發之也可預刺之也當刺足太陰之俞足太陰之俞太白穴在足內側核骨下陷者中足太陰之所注也水下三刻刺可同身寸之二分留七呼氣至急出之先左後右金欲升而天英窒抑之金欲發鬱亦須待時金鬱待時至天作左間氣之日也夏至之後金欲發鬱之時在火王後作可預刺也當刺手太陰之經手太陰之經者經渠

穴也在兩手寸口脉陷者中手太陰之所行也動脉應手於水下四刻刺可同身寸之三分留三呼氣至急出鍼先左後右水欲升而天内窒抑之水欲發鬱亦須待時水鬱待時至天作左間氣之時也發於辰維之後火得王之時水可作也可以預用鍼刺之也當刺足少陰之合足少陰之合陰谷穴也在膝内輔骨之後大筋之下小筋之上按之應手屈膝而得足少陰之所入也刺可同身寸之四分留三呼動氣應手可刺急出之先刺左後刺右帝曰升之不前可以預備願聞其降可以先防防護者也岐伯曰既明其升必達其降也升降之道皆

可先治也（亦可以升而先刺也）木欲降而地皛窒抑之降而不入抑之鬱發散而可得位（三日不降入日降欲降而鬱先散而然後作地間氣者也）降而鬱發暴如天間之待時也降而不下鬱可速矣（降之不下急速如天鬱也便可刺之）降可折其所勝也（折勝其標而虛其本也故折其勝也）當刺手太陰之所出刺手陽明之所入（手太陰之所出少商穴也在手大指之端內側去爪甲如韭葉手太陰之井也刺可同身寸之一分留三呼而急出之手陽明之所入曲池穴也在肘外輔屈肘兩骨之間陷中手陽明之合刺可同身寸之

一寸五分留七呼動氣應手至而急出之火欲降而地玄窒抑之降而不入抑之鬱發散而可矣二日不降七日降欲下而鬱散之速可刺之也當折其所勝可散其鬱火鬱折水可以除之當刺足少陰之所出刺足太陽之所入足少陰之出湧泉穴也在足心陷者中屈足捲指宛宛中足少陰之井刺可同身寸之三寸留二呼動氣至急出之先左後右足太陽之所入委中穴在膕中央約文中動脈應手足大陽之合也刺可同身寸之五分留七呼氣至而急出之先左後右二次同其法刺也土欲降而地蒼窒抑之降而不下抑之鬱發散而

可入五日不降十日降欲降而鬱散而可速刺之當折其勝可散
其鬱土鬱折水可除其苦當刺足厥陰之所出刺足少
陽之所入足厥陰之所出太敦穴也在足大指端去爪甲上如韭葉及三毛之中足厥陰井也刺可同身寸之三分留十呼動氣急出之足少陽之所入陽陵泉穴在膝下同身寸之一寸骱骨外廉陷者中是足少陽之合刺可同身寸之六分留十呼動氣至急出之金欲降而地形窒抑之降而不下散抑
之鬱發散而可入四日不降九日降欲下而鬱散可速刺也當折
其勝可散其鬱金鬱折火可以除之當刺心包胳所出

刺手少陽所入也心包胳所出中衝穴也在中指之端去爪甲如韭葉是手心主之井刺可同身寸之一分留二呼動氣至急出之手少陽之所入天井穴也在肘外大骨之後肘後同身寸之一寸兩筋間陷者中屈肘得之手少陽合刺可同身寸之一寸留十呼動氣應手至而急出之水欲降而地皐窒抑之降而不下抑之鬱發散而可入一日不降六日降欲下而鬱散先可刺之也當折其土可散其鬱折其所勝可以散之也當刺足太陰之所出刺足陽明之所入足太陰之所出隱白穴也在足大趾之端側去爪甲如韭葉足太陰之井刺可同身寸之一分留三呼得

氣至乃出之足陽明之所入三里穴在膝下三寸䯒骨外廉兩筋間足陽明之所合刺可同身寸之五分留十呼得氣至而急出之帝曰五運之至有前後與升降往來有所承抑之可得聞乎刺法岐伯曰當取其化源也是故太過取之不及資之太過取之次抑其鬱取其運之化源令折鬱氣不及扶資以扶運氣以避虛邪也不及者當資其化源以補其所虧令不勝資取之法令出密語資取化源法方

明於玄珠密

語第一卷中黃帝問曰升降之刺以知要願

聞司天未得遷正使司化之失其常政即萬化之或其皆妄然與民爲病可得先除欲濟羣生願聞其說明其遷正故可預防岐伯稽首再拜曰悉乎哉問言其至理聖念慈憫欲濟羣生臣乃盡陳斯道可申洞微申顯也洞深也微妙也言可盡顯深妙

太陽復布即厥陰不遷正即天運不和順四序失合而作疫也不遷正氣塞於上當瀉足厥陰之所流氣舒而復塞之故瀉之當瀉足厥陰之所流行間穴也在足大趾之間動脉應手陷者中足厥陰之

榮刺可同身寸之六分留七呼動氣至而急出之厥陰復布少陰不遷正天失時令即氣令不正也不遷正即氣塞於上熱欲化而風乃布外也當刺心包胳脉之所流心包絡脉之所流勞宮穴也在掌中央刺可同身寸之三分留六呼動氣至而急出也少陰復布太陰不遷正子午天數有餘丑未不得中正也不遷正即氣留於上雨欲化而熱布於天當刺足太陰之所流足太陰之所流大都穴也在足大趾本節後陷者中足太陰脉之榮也刺可同身寸之三分留七呼動氣至而出之太陰復布少陽不遷正丑未天數有餘寅申未得中正

不遷正則氣塞未通[熱欲化而雨復布天]當刺手少陽之所流[手少陽之所流液門穴也在手小指次指間陷者中手少陽之榮也刺可同身寸之二分留三呼動氣至而急出也]少陽復布則陽明不遷正[寅申天數有餘卯酉未得司天]不遷正則氣未通上[燥欲治天熱化復治]當刺手太陰之所流[手太陰之所流魚際穴也在手大指本節後內側散脉文中手太陰之榮也刺可同身寸之二分留三呼動氣至而急出之]陽明復布太陽不遷正[卯酉天數未終辰戌未得司正]不遷正則復塞其氣[寒欲行天而燥復化]當刺足少陰之所

流足少陰之所流然谷穴也在足內踝前起大骨下陷中足少陰之榮也刺可同身寸之三分留三呼動氣至而出之帝曰遷正不前以通其要願聞不退欲折其餘無令過失可得明乎岐伯曰氣過有餘復作布正是名不過位也即名布正再治天而不能退位使地氣不得後化新司天未可遷正故復布化令如故也新歲司天未得中司去歲司天仍舊治天是故氣過天令失常故與民作災之病也巳亥之歲天數有餘故厥陰不退位也至子午之年猶尚治天也風行於上木化

布天雨濕之化不令風化至酷作災當刺足厥陰之所入足厥陰之所入曲泉穴也在膝內輔骨下大筋上小筋下後陷者中屈膝而得之足厥陰之合也刺可同身寸之六分留七呼動氣至急出其鍼也子午之歲天數有餘故少陰不退位也至丑未之年猶尚治天也熱行於上火餘化布天燥清之虧雨化不令熱化復行天令也當刺手厥陰之所入心包之所入曲澤穴也在肘內廉下陷者中屈肘而取之手厥陰之合也刺可同身寸之三分留七呼動氣至而急出之丑未之歲天數有餘故太陰不退位也至寅申之年猶尚治天也濕行於上

雨化布天寒化鬱熱化不令濕化復布行天令當刺足太陰之所入足太陰之所入太陰陵泉穴也在內側輔骨下陷者中足太陰之合刺可同身寸之五分留七呼動氣至而急出之也寅申之歲天數有餘故少陽不退位也至卯酉之年猶尚治天也熱行於上火化布天燥清令鬱熱化復治布行天令當刺手少陽之所入手少陽之所入天井穴也在肘外大骨後肘後上一寸兩筋間陷中屈肘得之手少陽之合也刺可同身寸之三分動氣至而急出之也卯酉之歲天數有餘故陽明不退位也至辰戌之年猶尚治天也金行於上燥化布天風化鬱寒

化不令清化復治布行天令當刺手太陰之所入手太陰之所入尺澤穴也在肘約文中動脈應手手太陰之所合也刺可同身寸之三寸留三呼動氣至而急出之辰戌之歲天數有餘故太陽不退位也至巳亥之年猶尚治天也寒行於上凜水化布天熱化令肅風化不令寒化復治布行天令當刺足少陰之所入足少陰之所入陰谷穴也在膝下內輔骨之後大筋之下外筋之上按之應手屈膝而得之足少陰之合刺可同身寸之四分動氣至而急出之故天地氣逆化成民病以法刺之預可平痾人氣通乎天地也氣交有變前後餘退可依天元刺

其餘源始終可平也黃帝問曰剛柔二干失守其位使天運之氣皆虛乎與民為病可得平乎天運如虛可以法刺可除之也岐伯曰深乎哉問明其奧旨天地迭移三年化疫是謂根之可見必有逃門是謂根究天地之災必有遐危逃生之門戶假令甲子剛柔失守柔得其位上失其剛雖得交司數可未至甲子上未終司巳卯下雖遷正是謂柔于孤虛其下也剛未正之巳不得其甲即土運反虛而木廼勝剛未正柔孤而有虧甲不正於巳也土運不令正失少陰不化是故天與皆虛而使邪化疫者也時

序不令即音律非從司天猶布而中運有勝至矣甲未臨而已至律無音而呂有聲即黃鍾大宮不應夾鍾少宮即應以表巳卯下位孤主土運者也如此三年變大疫也甚則速首尾三年至詳其微甚察其淺深太虛而布政日久即深也深即甚矣運未正即勝至久即深甚也甚即深首尾二年至者也欲至而可刺刺之則以明其刺法者即是布正而未遷正者可刺其即今之病也只言知者是以三年中有大疫至刺補其天之之吉也即其細詳微甚知其所至之期可先齊之者也當先補腎俞土疫至而腎虛者先補之腎俞在骨第十四椎下兩傍各同身寸之一寸五分未刺時先口銜鍼煖而用之用

圓利鍼臨刺時呪曰五帝上真六甲玄靈氣符至陰百邪閉理念三遍自口中取鍼先刺二分留六呼次入鍼至三分動氣至而徐徐出鍼以手捫之令受鍼人咽氣三次又可定神魂者也次三日可刺足太陰之所注足太陰之所注太白穴也在内踝核骨下陷者中足太陰脉之所注也先以口嗢鍼令温欲下鍼時呪曰帝扶天形護命成靈誦之三遍迺刺三分留七呼動氣至而急出其鍼也又有下位己卯不至而甲子孤立者次三年作土癘其法補瀉一如甲子同法也即甲子甲戌甲申甲午甲辰甲寅并及己丑己亥己酉己未己巳己卯凡甲己上下失守皆此一法而已其刺以畢

又不須夜行及遠行令七日潔清淨齋戒所有自來腎有久病者可以寅時面向南淨神不亂思閉氣不息七遍以引頸嚥氣順之如嚥甚硬物如此七遍後餌舌下津令無數僊家嚥氣可以深根固蔕以子受母氣也嚥下氣令腹中鳴至臍下子氣見母元氣故曰反本還元也久餌之令深根以養固蔕也故嚥氣津者此名天池之水可久餌之資精氣血蕩滌五藏先溉元海三一名離宮之水一名玉池一名神水不可唾之但可餌之以補精血可益元海也

假令丙寅剛柔失守柔得其位上失其剛也雖得其交歲

而丙未遷正治天下辛巳獨治其泉上位丙失其剛干故中水運不得運太過也及受土
勝之上剛干失守下柔不可獨主之柔干在上猶言不及
何況柔失剛者也中水運非太過不可執法而定之
不以諸丙年作其水太過也當推之天數而知有斠也布天有餘而失
守上正天雖主治之此即布正之化正司主歲未得正位也天地不合
即律呂音異柔干至而呂有音應剛干未遷而律管無聲即少羽鳴響而大
羽無聲也如此即天運失序雖有化而非常化也後三年變
疫變有微甚故有遲速當推其天數之淺深也詳其微甚差有大

小大差七分小差五分每一分一十五日大差速至小差徐徐而至之也徐至即後三年至甚即首三年推數差速即知運遲當先補心俞心俞在背第五椎下兩傍各一寸半用圓利鍼於口中令溫暖次以手按穴得其氣動迺呪曰太始上清丹元守靈誦之三遍先想火光於穴下然後刺可同身寸之一寸半留七呼得氣至次進鍼三分以手彈之令氣至而下鍼得動氣至而徐徐出鍼次以手捫其穴令受鍼人閉氣三息而燕氣也次五日可刺腎之所入腎之所入陰谷穴也在膝內輔骨之後大筋之下小筋之上按之應手屈膝而得之用圓利鍼令口中溫暖先以手按穴迺呪曰太微帝君五氣及真六辛都司符扶黑雲誦之一

遍刺可入同身寸之四分得動氣至而急出之又有下位地甲子辛巳柔不附剛亦名失守即地運皆虛後三年變水癘即刺法皆如此矣即丙寅丙子丙戌丙申丙午丙辰辛丑辛亥辛酉辛未辛巳辛卯如此上下失守皆推大小差而刺之其刺如畢慎其大喜欲情於中如不忌即其氣復散也令靜七日七日後神氣實而水疫不傷心欲實令少思思即傷神居當澄心而神守中即道自降而其氣復上人亂想勞神即陰中鬼王勞神即神役苦志心亂妨天人命實即神和志安心靜即中也假令庚辰剛柔失

守乙得其位上失其庚卽謂柔失其剛也雖得其歲卽庚未得中位也乙得下位以治
其地上位庚失其剛干故中金運不得太過反受火勝之也上位失守下
位無合乙未在下主地孤立也上無剛干正之天運虛乙庚金運故
非相招上下相招陰陽相合也司天與運各得其化布天未退中
運勝來不以陽年元勝復支干不合有上下相錯謂之失守
庚不與乙相對合也姑洗林鍾商音不應也失守卽同聲不相應
也姑洗上管庚辰太商不如應林鍾下管乙未少商獨應矣如此卽天運
化易故四序非常也三年變大疫金疫又名殺疫詳其天數

差有微甚大差七分即氣過一百五日即甚矣小差五分即氣過七十五日即微也微即微三年至微即徐也甚即甚三年至甚即速也

當先補肝俞肝俞在背第九椎下兩傍各一寸半用圓利鍼以口温暖先以手按穴得動氣欲下鍼而呪曰氣從始清帝符六丁左施蒼城右入黄庭誦之三過先想青氣於穴下然後刺之三分得氣而進鍼鍼入五分動氣至而徐徐出鍼以手捫其穴令受鍼人嚥氣

次三日可刺肺之所行肺之所行經渠穴也在手寸口陷中手太陰經也用圓利鍼於口内温令暖先以左手按穴而呪曰太始上眞五符帝君元和氣合司入其神誦之三遍刺可同身寸之三分留二呼動氣至而出其鍼也

刺畢可靜神七日慎勿大怒怒必眞氣却散之又或在下地甲子乙未失守者卽乙柔干卽上庚獨治之亦名失守者卽■孤主之三年變癘名曰金癘（亦名殺癘）其至待時也詳其地數之等差亦推其微甚可知遲速爾（速至共三年遲卽後三年其至如金疫刺法同前也）諸位乙庚失守刺法同（卽天運各異金殺丁之災化民病也同刺而却之也）肝欲平卽勿怒（怒卽陰生肝爲陽神也陰生卽陽天夜臥念安其志勿誦惡語卽陽神魂守中）假令壬

午剛柔失守下得其位上失其主即司天布正木運反虛也雖交歲而天未遷正中運勝即地見丁酉獨主其運故行燥勝天未勢化是名二虛者巳上壬未遷正下丁獨然即雖陽年虧及不同災亦然三日肝自病風化不令運失其壬未得其位天如布退可得遷正不假復而正角上下失守相招其有期推之天別又及幾分天如復位故得相招者也差之微甚各有其數也差七分計一百五日即大差之期也差五分即七十五日其下者又微也律呂二角失而不和同音有日上律蕤賓下呂南呂上大角不應下少角應故二角失而不和也後壬午遷正之日即上下角

同聲相應也微甚如見三年大疫微即至乙酉甚即至甲申甚速微徐當刺脾之俞脾之俞在背第十一椎下兩傍各一寸半動脉應手用圓利鍼令口中温暖而刺之即呪曰五精智精六甲玄靈帝符元首太始受眞誦之三遍先想黃氣於穴下然後刺之一分得氣至而次進之又得動氣次進之二進各一分留五呼即徐徐出鍼以手捫之令其人不息三遍而嚥津也次三日可刺肝之所出也肝之所出大敦穴也在足大趾端去爪甲如非葉及三毛之中足厥陰之井也用圓利鍼令口中温暖而刺之即呪曰眞靈至玄天道寘然五神各位氣守三田誦之然後可刺入同身寸之三分留十呼動氣至而出其鍼刺畢靜神七日

勿大醉歌樂其氣復散又勿飽食勿食生物歌樂者卽脾神動而氣散也醉卽性亂飽卽食脹故慎忌之食生物卽傷脾氣也欲令脾實氣無滯飽無久坐食無太酸無食一切生物宜甘宜淡淡入胃也宜益府淡者土之薄味也而又次於甘者無間坐無久臥故養脾也又或地下甲子丁酉失守其位未得中司卽氣不當位下不與壬奉合者亦名失守非名合德故柔不附剛天地二甲子上下不相招故陰陽有錯卽中運失其歲合之常政也卽地運不合三年變癘

故名木癘又名風癘其至有即亦推其微甚其刺法一如木疫之法即諸丁壬上下失守皆同一法刺之假令戊申剛柔失守戊與癸合也天地二甲子即戊申合癸亥也下位癸亥至地其主地正司也上下位戊申過丁未天數未退而復布天故失守戊癸不合也戊癸雖火運陽年不太過也戊未正司癸下獨治故非太過反受水勝之也上失其剛柔地獨主其氣不正故有邪干水運失守於上中下運有虧也故天虛而地猶主之中見火運水來犯之故曰邪干迭移其位差有淺深天數過差亦有多少却得奉合合要在日數也欲至將合音律先

同中火運徵也上下二律呂上窮太少二徵合音同如此天運失時三年之中火疫至矣速至庚戌也徐徐至辛亥所作也當刺肺之俞肺俞在背第三椎下兩傍各一寸半動脈應手用圓利鍼令口中溫暖先以手按穴遯刺之呪曰眞邪用搏氣灌元神帝符反本位合其親誦之三遍刺之二分候氣欲至想白氣於穴下次進一分得氣至而徐徐出其鍼以手捫之於其穴也然可立愈也刺畢靜神七日勿大悲傷也悲傷卽肺動而眞氣復散也凡喜怒悲樂恐皆不可過矣此五者皆可動天亂眞神也故聖人忘緣滅動念可存神也故神能主形神在形全可以身安道常長存也人欲

實肺者要在息氣也無太喘息慎勿多言語及呼吸多氣喘及言語
多及飲冷形寒食減多大忌悲傷喜怒冷傷其肺神也又或地下甲子
癸亥失守者即柔失守位也即上失其剛也
即亦名戊癸不相合德者也即運與地虛後
三年變癘即名火癘與火疫同也即法刺一體即諸戊諸癸上下同
一體是故立地五年以明失守以濕法刺於是
疫之與癘即是上下剛柔之名也窮歸一體
也即刺疫法只有五法即總其諸位失守故

只歸五行而統之也此皆五疫癘歸天地不相和之氣化爲疫癘大傷人之命也故違天元可通法刺復濟生民也黃帝曰余聞五疫之至皆相染易無問大小病狀相似不施救療如何可得不相移易者其病相染着如何得不相染也岐伯曰不相染者正氣存內邪不可干避其毒氣天牝從來復得其往邪毒之氣在於泄汗反下取之其氣入於中毒氣至腦中流入諸經之中令人染病矣如人嚏得此氣入鼻至腦中欲嚏出勿令投鼻中令嚏之即出爾如此即不相染也氣出於腦即不邪干從鼻而入

腦欲于復出即無相染也氣出於腦即先想心如日即正氣存中而神守其本即邪疫之氣不犯之欲將入於疫室先想青氣自肝而出左行於東化作林木如春柏之蒼翠次想白氣自肺而出右行於西化作戈甲如劒戟之明白利刃次想赤氣自心而出東行於上化作焰明如赫赫之炎燥次想黑氣自腎而出北行於下化作水如波浪之黑色次想黃氣自脾而出存於中央化作土如天地之黃色五氣護身之畢以想頭上如北

斗之煌煌然後可入於疫室（卽正氣存中而邪疫不干）又一法於春分之日日未出而吐之（用遠志去心以水煎之飲二盞吐之不疫者也）又一法於雨水日後三浴以藥泄汗（注汗出臭者無疫也）又一法小金丹方辰砂二兩水磨雄黃一兩葉子雌黃一兩紫金半兩（粉作末令細之）同入合中外固了地一尺築地實不用爐不須藥制用火二十斤煆之也七日終（常令火及二十斤）候冷七日取次日出合子埋藥地中

七日亦須吉地者佳也取出順日研之三日煉白沙蜜爲丸如梧桐子大每日望東吸日華氣一口冰水下一丸和氣嚥之服十粒無疫干也黃帝問曰人虛即神遊失守位使鬼神外干是致夭亡何以全眞願聞刺法岐伯稽首再拜曰昭乎哉問謂神移失守雖在其體然不致死或有邪干故令夭壽邪未干而不病邪欲干而有卒亡也只如厥陰失守天以虛人氣肝虛感天重虛

卽魂遊於上肝虛天虛又遇出汗於肝而三虛散神遊上位左無英君下卽神光不聚而白尸鬼至令人卒亡者也邪干厥大氣身温猶可刺之目中神彩有四肢雖冷心腹尚温如口中無涎舌卵不縮者非感厥也卽名尸厥故可救之復蘇刺其足少陽之所過足少陽之所過丘墟穴也在足外踝下如前陷者中去臨泣同身寸之五寸足少陽之原也用毫鍼於人近體暖鍼至温以左手按穴呪曰太上元君常居其左制之三魂誦之三遍次呼三魂名爽靈胎光幽精誦之三遍次想青龍於穴下刺之可以同身寸之三分留三呼可徐徐出鍼親令人按氣於口中腹中鳴者可治之次刺肝之俞在背第九椎下兩傍各一寸半

用毫鍼着身温之左手按穴呪曰太微帝君元英制魂眞元及本令入青雲又呼三魂各如前三遍刺入同身寸之三分留三呼次進二分留三呼復取鍼至三分留一呼徐徐出即氣及而復活人病心虛又遇君相二火司天失守感而三虛又或汗出於心即致神魂逆於上入泥丸遇火不及黑尸鬼犯之令人暴亡不出一時可救之四肢冷氣雖閉絶不變色舌卵如不縮者可救目中神彩不變者可刺之也可刺手少陽之所過手少陽之所過陽池穴也在手表腕上陷者中手少陽之原也用毫鍼人身温煖以手按穴呪曰太乙帝君泥丸總神丹無黑氣來復其眞誦之三遍想赤鳳於穴下刺入二分留

七呼次進一分留三呼復退留一呼徐徐手捫其穴卽令復活也復刺心俞在背第五椎也兩傍各一寸半用毫鍼着身溫暖以手撥穴呪曰丹房守靈五帝上青陽和布體來復黃庭誦之三遍刺可同身寸之七分留一分次進一分留一呼退至二分留一呼徐徐而出鍼以手捫其穴也人脾病又遇太陰司天失守感而三虛重虛而汗出於脾因而三虛智意二神遊於上位故曰失守又遇土不及青尸鬼邪犯之於人令人暴亡不出一時可救之也四肢冷而身溫唇溫者可活之矣口中無涎卽名尸厥可刺足陽明之所過足陽明之所過衝陽穴也在足附上骨間動脈去陷谷三

寸足陽明之原也用毫鍼着人身温煖以身按穴呪曰常在魂庭始清太寧元和布氣六甲及眞誦之三遍先想黄庭於穴下刺入三分留三呼次進二分留一呼徐徐退而以手捫之者也復刺脾之俞在背第十一椎下兩傍各一寸半用毫鍼以手按之呪曰太始乾位總統坤元黄庭眞氣來復遊全誦之三遍刺之三分留二呼進至五分動氣至徐徐出鍼人肺病遇陽明司天失守感而三虛人虛天虛又汗出於肺因而三虛卽魂遊於上故曰失守之也又遇金不及有赤尸鬼干人令人暴亡不出一時可救之雖無氣手足冷者心腹温鼻微温目中神彩不轉口中無涎舌卵不縮者皆可刺活也可刺手陽

明之所過手陽明之所過合谷穴也在手大指次指間手陽明之原也用毫鍼着人體溫煖先以手按穴呪曰青氣眞全帝符日元七魄歸右今復本田誦之三遍想白氣於穴下刺入三分留三呼次進鍼至五分留三呼復退一分留一呼徐徐出鍼以手捫其穴復活也復刺肺俞肺俞在背第三椎下兩傍各一寸半用毫鍼着體溫煖先以手按穴呪曰左元眞人六合氣賓天符帝力來入其司誦之三遍鍼入一寸半留三呼次進二分留一呼徐徐出鍼以手捫其穴也人腎病又遇太陽司天失守感而三虛人虛天虛又感出汗於腎感而三虛即腎神退遊於黃庭雖不離體神光不聚故失守也又遇水運不及之年有

黃尸鬼干犯人正氣吸人神魂致暴亡氣絶四肢厥冷心腹微溫眼色不易脣口及舌不變口中無涎卽可救也可刺足太陽之所過足太陽之所過京骨穴也在足外側大骨下赤白肉際陷者中是足太陽之原也用毫鍼着人身溫煖以手按穴呪曰元陽育嬰五老及眞泥丸玄華補精長存想黑氣於穴下刺入一分半留三呼徐進至三分留一呼徐徐出鍼以手捫其穴也刺足少陽之俞在背第十椎下兩傍各一寸半用毫鍼先以手按穴呪曰天玄日晶太和昆靈貞元内守持入始清誦之三遍刺之三分留三呼次又進五分留三呼徐徐出鍼以手捫之黃帝問曰十二藏之相使神失位

使神彩之不圓恐邪干犯治之可刺願聞其要五神失守以明刺法又言十二神之妙用也岐伯稽首再拜曰悉乎哉問至理道眞宗此非聖帝焉究斯源是謂氣神合道契符上天人氣動合司天神氣相合由乎盛衰也心者君主之官神明出焉任治於物故爲君主之官故心從形有神託心斯存是故心者神之舍也即眞心失守虛而神不守位即妄遊諸室五神不安而令虛也乃可刺手少陰之源手少陰之源者即是兌骨穴也此是眞心之源在掌後兌骨之端陷者中一名中都用長鍼口中溫煖刺入三分留三呼

進一分留一呼徐徐出鍼以手捫其穴復蘇也肺者相傳之官治節出焉位高爲君故官爲相傳主行榮衛故治節由之喘息而自然有多語失節飲冷形寒悲愴是以肺神不守位即虛也可刺手太陰之源肺之源出於太淵在掌後大筋一寸五分間陷者中手太陰之所過用長鍼以口中温鍼以手按穴刺入同身寸之三分留三呼動氣至而徐徐出鍼以手捫穴肝者將軍之官謀慮出焉勇而能斷故曰將軍潛發未萌故曰謀慮出焉怒而氣上遇氣交不前因而神神失守神光不聚可用前法刺之全神守者也可刺足厥陰之源足厥陰之源太衝穴也在足大趾本節後二寸陷者中乃肝脈所過爲源用長鍼便

於口中先溫鍼以手按穴刺可入三分留三呼進二分留二呼徐徐出鍼以手捫之也

膽者中正之官決斷出焉剛正果決故官爲中正直而不疑故決斷出焉交動而卒怒怒而不息氣上而不守位使人中正不利欲成膈壹神光不聚未有邪干先可以刺治之者也可刺足少陽之源足少陽之源丘墟穴也在足外踝下如前陷者中去臨泣穴五寸足少陽之所過也用長鍼於口內溫鍼先以左手按穴刺可同身寸之三分留三呼進至五分留二呼徐徐出鍼以手捫之也

膻中者臣使之官喜樂出焉膻中者在胸兩乳間爲氣海手厥陰包絡之所居此作相火位故言臣使主其喜樂中及驚喜怒思恐即神失守位使人如失

志恍恍然神光不聚邪來干之可用刺法治之正神和也可刺心包絡所流勞宮穴也在手掌中央動脈手心主之所流也用長鍼於口中溫先以左手按穴刺可同身寸之三分留二呼徐徐出鍼以手捫其穴也脾爲諫議之官知周出焉心有所憶謂之意意中出焉謂之智智周萬事皆從意智也故知周出焉意有所着欲念生他想勞意不已智有所存神遊失守則神元不聚可預治之者也可刺脾之源脾之源在足內側核骨下陷者中是足太陰之所過爲源用長鍼於口內溫鍼先以左手按穴刺可入三分留五呼進至三分留五呼即可徐徐而退鍼以手捫之胃爲倉廩之官五味出焉包容五穀是謂倉廩之官勞養

四傍故云五味出焉飲食飽甚汗出食飽房室卽氣留滯注神遊失守邪于未至可以頭治全眞**可刺胃之源**胃之源衝陽穴也在足附上如同身寸之五分骨間動脈上去陷谷穴五寸是足陽明之所過用長鍼於口中温鍼先以左手按穴刺可入三分留三呼進至二分徐徐出鍼以手捫其穴**大腸者傳道之官變化出焉**傳道謂傳不潔之道變化謂變化物之形故云傳道之官變化出焉男子有反之過故失守位邪非干之以刺法治之卽令反郄蘇也**可刺大腸之源**大腸之源合谷穴也在手大指次指曲骨間手陽明之所過也用長鍼口中温鍼刺入三分留三呼進至二分留一呼徐徐出之也**小腸者受盛之官化**

物出焉承奉胄司受盛糟粕受元復化傳入大腸故云受盛之官化物出焉受而有異非合不合神失守可刺全眞者可刺小腸之源小腸之源腕骨穴也在手外側腕前起骨下陷者中手太陽之所過也用長鍼於口中溫鍼先以左手按穴刺可入三分留三呼進二分留一呼徐徐出鍼次以手捫其穴也腎者作強之官伎巧出焉強於作用故曰作強造化形容故曰伎巧在女則當伎巧在男正曰作強人強作過失動合於三元八正之日故神失守位也故須刺而可全眞者也刺其腎之源腎之源出於大谿在足内踝下跟骨之前陷者中足少陰之所過爲源用長鍼於口中溫鍼先以左手按穴刺入三分留一呼進一分留二呼徐徐出鍼

以手捫其穴也三焦者決瀆之官水道出焉引道陰陽開通閉塞故官司決瀆水道出焉決瀆者如四瀆入大海不離其水百川入海只江河淮濟入海不變其道故曰四瀆也三焦決瀆即精與水道不相合也故曰三焦者上中下上焦者主內而不出或非內而即內故不守中焦者主腐熟水穀或情動於中人或非動而動是謂孤動者神失守位下焦者主出而不內或當出而不出者故曰神失守位也刺三焦之源三焦之源陽池穴也在手表腕上陷者中手少陽脉之所過也用長鍼於口中溫鍼先以左手按穴刺可入三分留三呼進一分留一呼徐徐出鍼以手捫之也

膀胱者州都之官精液藏焉氣化則能出矣

位當孤府故曰都官居下內空故藏精液者得氣海之氣施化則溲便注泄氣海之不足則閟隱不通故曰氣化則能出矣人若滯便而合氣注膀胱故精泄氣動水道不宣通故神失守位即可以刺法全眞者方知此法大妙也

刺膀胱之源

膀胱之源京骨穴也在足外側大骨下赤白肉際陷者中足太陽之所過用長鍼於口中溫鍼先以左手按穴刺可入三分留三呼進二分留三呼徐徐而出鍼以手捫其穴也

凡此十二官者不得相失也

失則災害至故不得相失失之則神光不聚故有邪干犯之節害天命宜先刺以全眞也

是故刺法有全神養眞之旨亦法有修眞之道非治疾也故要修

養和神也（神爲主養之宗故作先也）道貴常存補神固根精氣不散神守不分（內三寶即神氣精一失其位三者皆傷三者同守故曰元和也）然即神守而雖不去亦全真（神如去即死矣然雖在其體身中而未去者亦非守位而全真也）人神不守非達至眞（神不守即光明不足故要守眞而聚神光而可以修眞眞勿令泄人爲知道）至眞之要在乎天玄（人在母腹先通天玄之息是謂玄牝名曰谷神之門一名神顯一名上部之地戶一名人中之岳一名胎息之門一名通天之要人能忘嗜欲定喜怒又所動隨天玄牝之息絕其想念如在母腹中之時命曰返天息而歸命迴入寂

滅反太初還元胎息之道者也神守天息復入本元命曰歸宗人有諸疾守位之神可入玄中之息而歸命之眞全神之道可久覩也

○本病論篇第七十三

黃帝問曰天元九窒余已知之願聞氣交何名失守六氣升降上下交位以五藏配天地之常岐伯曰謂其上下升降遷正退位各有經論上下各有不前故名失守也天元玉冊云六氣常有三氣在天三氣在地也即二氣升天作左間氣一氣入地作右間氣一氣遷正作司天一氣遷正作在泉一氣退位作天左間氣

一氣退位作地右間氣氣交有合常得位所在至當時即天地交迺變而方泰也天地不交迺作病也是故氣交失易位氣交迺變變易非常即四時失序萬化不安變民病也於是六氣有升不得其升者欲降而不得其降者有當遷正而不得遷正者自當其位而不得位故有如此之分則天地失其常政故萬民不安也帝曰升降不前願聞其故氣交有變何以明知再問窮源用也岐伯曰昭乎問哉明乎道矣氣交有變是謂天地機木欲升上見天柱窒二火欲升上見天蓬窒土欲升上見天衝窒金欲升上見天英窒水欲升上見

天內窒是故天窒所勝而不前者但欲降而不得降者地窒刑之木欲降而地晶窒刑之火欲降而地玄窒刑之土欲降而地蒼窒刑之金欲降而地形窒刑之水欲降而地阜窒刑之地九窒法天之象本勝之氣故不降也又有五運太過而先天而至者即交不前運逢陽年於有司之至也至後交勝而不過但欲升而不得其升中運抑之木欲升而中見金運勝之二火欲升而中見水運勝之土欲升而中見木運勝之金欲升而中見火運勝之水欲升而中見土運勝之者皆遇運太過早至其中而先於氣交而抑之不前者也但欲降而不得其降中運抑之然五

運逢太過而先至其中故降而不下中運刑之抑之不前也於是有升之不前降之不下者有降之不下升而至天者有升降俱不前作如此之分別卽氣交之變變之有異常各各不同災有微甚者也是故上下天地之升降交氣有天窒地窒之勝剋中運抑伏淺深是故民病微甚異爾也帝曰願聞氣交遇會勝抑之由變成民病輕重何如欲明其變病本源之證也岐伯曰勝相會抑伏使然六氣升降乃經論之道也氣交之常也過會之不常而相投之勝伏抑之成鬱者也是故

辰戊之歲木氣升之主逢天柱勝而不前辰戊之歲太陽遷正作司天也卽厥陰作地而作右間至此歲而升天作左間也又遇司天深計筭位至天柱窒也木欲升天柱金司天土勝之不前也又遇庚戊金運先天中運勝之忽然不前庚年金運先天至次後十三日始交司天欲升而金運抑之也木運升天金迺抑之或上見天柱窒或中見金運也升而不前卽清生風少肅殺於春露霜復降草木乃萎民病溫疫早發咽嗌迺乾四肢滿肢節皆痛久而化鬱至天得左間日迺發作也卽大

風摧拉折隕鳴紊民病卒中偏痺手足不仁（青埃見時風疫乃作民反張肢體直強治之達三俞也）是故已亥之歲君火升天主窒天蓬勝之不前（君火以在地三年至巳亥之歲少陰升天作左間也此可定之也天蓬水司水天元冊用除彝至坎宮除其數者即天蓬窒作主司故水窒勝也）又厥陰木遷正則少陰未得升天水運以至其中者君火欲升而中水運抑之（即天蓬水司勝即或水運抑之）升之不前即清寒復作冷生旦暮民病伏陽而内生煩熱心神驚悸

寒熱間作日久成鬱二七日不降以爲日久也即暴熱廼
至赤風腫翳化疫溫癘暖作至天作左間日廼作也民病伏
熱內煩痺而生厥甚則血溢也赤氣瘴而化火疫皆煩而躁
渴渴甚治之以泄之可止是故子午之歲太
陰升天主窒天冲勝之不前太陰在地二年畢一年廼升天
作少陰之左間也此即定矣其天衝窒至有法即不可前定之也如會天衝窒便升之也
故曰升之不前也又或遇壬子木運先天而至者中
木遇抑之也木升於大寒之日也木早至十三日上故升或遇此二木抑之

者土遷抑甚而病深之也升天不前卽風埃四起時舉埃
昏雨濕不化民病風厥涎潮偏痺不隨脹滿
久而伏鬱卽十日不升者至以爲日久也卽黃埃化疫也問氣
上鬱之大疫也民病夭亡臉肢府黃疸滿閉濕令弗
布雨化廼微黃埃起而黃風化疫皆肢體痛而口苦者是故丑未
之年少陽升天主窒天蓬勝之不前少陰在地三年
畢至此歲升天作太陰左間也此可前定之也天蓬失箕位取之法不定也或遇之者卽
水運之可升之於火故不可便升也又或遇太陰未遷正者卽

少陰未升天也水運以至者即升天不前者有此二抑之者也升天不前即寒雰反布凜冽如冬水復涸冰再結暄暖乍作冷復布之寒暄不時民病伏陽在内煩熱生中心神驚駭寒熱間爭以久成鬱二七不降以爲日久也即暴熱迺生赤風氣瞳翳至天得位之日迺作化成鬱癘迺化作伏熱内煩痺而生厥甚則血溢赤氣生而化大疫皆煩而大熱涼藥不可制於火之鬱甚於君火故厥乃血溢也是故寅申之年陽明升天主

窒天英勝之不前陽明在地三年畢至此年升天作少陽左間也即經論中乃定矣九窒隨天數不足金遇火窒之可勝之不可升天又或遇戊申戊寅火運先天而至太過歲未交司運先至一十三日金欲升天火運抑之此者遇一即不可升也或二者同會其抑大也升之不前即時雨不降西風數舉鹹鹵燥生地鹹鹵生白見硝而燥生也民病上熱喘嗽血溢久而化鬱四九不升火為日久也即白埃翳霧清生殺氣民病脇滿悲傷寒鼽嚏嗌乾手拆皮膚燥白埃起時殺疫火生民病

嗌燥而咽乾治可刺之也是故卯酉之年太陽升天主窒天內勝之不前太陽在地三年畢此年升天作陽明之左間也即經論定矣升天即天內從之數法推之也水遇土窒之司勝之不可升之抑而復鮮又遇陽明未遷正者即太陽未升天也土運以至巳酉巳卯水欲升天土運抑之或見天內窒土刑勝之或見土運抑之有一不勝也升之不前即濕而熱蒸寒生兩間民病注不食不及化久而成欝十二日不降爲日久也冷來客熱冰雹卒至民病厥逆而噦熱生於內

氣痺於外足脛痠疼反生心悸懊熱暴煩而
復厥黑埃起至寒痠至皆煩而悸厥治之可溢也黃帝曰升之不
前余已盡知其旨願聞降之不下可得明乎
再欲細明其道也岐伯曰悉乎哉問是之謂天地微
旨可以盡陳斯道所謂升已必降也一升至天作左
間一年二年遷正作司天三年退位作右間四年後降也至天三年次歲
必降降而入地始爲左間也入地作左間一年次歲作遷正
司地又次歲乃退作右間也如此升降往來命之六紀者

矣三而在天三而在地一歲弗從命乎災害先明其升灸窮其降也是故丑未之歲厥陰降地主窒地皛勝而不前又厥陰在天三年灸年必降又遇地九窒中地皛西方兊塞金司勝之不可使入其地也抑之不入乃化成民病也又或遇少陰未退位少陰天數有餘作布政故未退一位也即厥陰未降下金運以至中或遇乙丑乙未中見金抑之也金運承之降之不下抑之變鬱鬱伏之氣降而不下成其民病木欲降下金承之降而不下蒼埃遠見白氣承之風舉埃昏清躁行殺霜露復下

肅殺布令久而不降抑之化鬱三日不降八日降不降化風疫也即作風躁相伏暄而反清草水萌動殺霜乃蟄未見懼清傷藏暄和令節大清殺之復布殺霜蒼埃見時風疫至治之吐而得復不可下是故寅申之歲少陰降地主窒地玄勝之不入少陰在天三年四年即降又遇地窒主司地玄窒水司降而不入抑伏化爲民病也又或遇丙申丙寅水運太過先天而至水運太過至其中即少陰降而不下迺成其鬱與民爲其災也君火欲降水運承之降而不下即彤雲纔見黑

氣反生暄暖如舒寒常布雪凛冽復作天雲
慘悽久而不降伏之化鬱二日不降七日降不降即鬱發寒
勝復熱赤風化疫民病面赤心煩頭痛目眩
也赤氣彰而温病欲作也民皆夜臥不安黃風化疫解可泄也
是故卯酉之歲太陰降地主窒地蒼勝之不
入太陰在天三年至此年降入地作少陰左間也又遇主窒地蒼窒木司勝之不入也
又或少陽未退位者即太陰未得降也或木
運以至丁酉丁卯木運承之降而不下即黃雲見

而青霞彰鬱蒸作而大風霧翳埃勝折損迺作久而不降也伏之化鬱十日不降，爲日久也天埃黃氣地布濕蒸民病四肢不舉昏眩肢節痛腹滿塡臆黃風三舉民病溫濕，皆痞滿治可大下愈是故辰戌之歲少陽降地主窒地玄勝之不入少陽在天三年畢次年下降入地作太陰左間主地玄窒水司勝不入而化民病也又或遇水運大過先天而至也丙辰丙戌水運者也水運承之水降不下即形雲纔見黑氣反生暄暖欲生冷氣卒至甚即冰雹也久而不降伏之化鬱二日不降七日降不降即鬱發也冷氣復熱赤風化疫民病面赤心煩頭痛目眩也赤氣彰而熱病欲作也民病夜臥不安黃風化疫解可泄之而愈也是故已亥之歲陽明降地主窒地形勝而不入陽明在天三年次年下降入地作少陽左間也又遇主窒地形窒火司勝之不入即化成病也又或遇太陰未退位即少陽未得降即火運以至之癸巳癸亥火運承之不下即天清而肅赤氣延彰暄熱反作民

皆昏倦夜臥不安咽乾引飲懊熱内煩大清朝暮暄還復作乆而不降伏之化鬱（四日不降九日降不降即鬱發也）天清薄寒遠生白氣民病掉眩手足直而不仁兩脇作痛滿目𥄂𥄂（白氣豐而殺疫至民皆燥而咽乾歍鉫治可制之）是故子午之年太陽降地主窒地阜勝之降而不入（太陽在天三年次年復降入地作陽明左間又遇地阜土司勝之不入者也）又或遇土運太過先天而至（甲子甲午）土運承之降而不入即天彰黑氣暝

暗淒慘纔施黃埃而布濕寒化令氣蒸濕復令久而不降伏之化鬱十二日不降者即鬱其發也民病大厥四肢重怠陰痿少力天布沉陰蒸濕間作黑氣彰而寒疫至民病皆厥而體重治可益之也帝曰升降不前晰知其宗願聞遷正可得明乎晰明也岐伯曰正司中位是謂遷正位司天不得其遷正者即前司天以過交司之日以過大寒日別歲正之初氣未至也即遇司天太過有餘日也即仍舊治天數新

司天未得遷正也年即以交即司天之氣未交司故也厥陰不
遷正即風暄不時花卉萎瘁民病淋溲目系
轉轉筋喜怒小便赤太陽司天天數有餘如退位之日厥陰得治遷正也
風欲令而寒由不去溫暄不正春正失時
雖得初氣天令不傳木氣不伸民廼病肝少陰不遷正即冷氣不
退春冷後寒暄暖不時民病寒熱四肢煩痛
腰脊強直厥陰司天天數有餘厥陰雖有餘日別位司天皆天數終日始遷正
如少陰至二月春分得位正之時乃造化變便可遷正乃合司天也木氣雖有

餘位不過於君火也木氣有餘數不盡有餘日復治天治數未終遇君火得時化春分日便可遷正木猶未退即可同治於天也其餘氣皆無此也太陰不遷正即雲雨失令萬物枯焦當生不發民病手足肢節腫滿大腹水腫塡臆不食飱泄脇滿四肢不舉少陰司天天數未終故曰太陰不得遷正少陰數終可得遷正也雨化欲令熱猶治之溫煦於氣亢而不澤少陰有餘未盡天數故不退位即太陰未得遷正即土氣不申而民病於脾也少陽不遷正即炎灼弗令苗莠不榮酷暑於秋

肅殺晚至霜露不時民病瘖瘧骨熱心悸驚駭甚時血溢雖有寅申之年上尚治之退位之日火行酷暑於後故涉暑於秋也陽明不遷正則暑化於前肅於後草木反榮民病寒熱鼽嚏皮毛折爪甲枯燋甚則喘嗽息高悲傷不樂少陽司天天數有餘如退位日陽明不遷正也熱化乃布燥化未令即清勁未行肺金復病雖得卯酉之年猶火化熱之令也故肺重復受病太陽不遷正即冬清反寒易令於春殺霜在前寒冰於後陽光復

治澟冽不作雺雲待時民病温癘至喉閉溢乾煩燥而渴喘息而有音也陽明司天天數有餘退位自太陽遷正故多煩燥渴喘者也寒化待燥猶治天氣過失序與民作災雖得辰戌之年猶尚清化治天故失序也帝曰遷正早晚以命其旨願聞退位可得明哉岐伯曰所謂不退者即天數未終天數未終其氣仍治雖遇交司由未退位也即天數有餘名曰復布政故名曰再治天也即天令如故而不退位也此治天下過而不退位猶在天

厥陰不退位即大風早舉時雨不降濕令不化民病溫疫疵廢風生民病皆肢節痛頭目痛伏熱內煩咽喉乾引飲厥陰天數有餘在本數之上司天氣高而災化善也令作布政而復下災故反甚之者也少陰不退位即溫生春冬蟄蟲早至草木發生民病膈熱咽乾血溢驚駭小便赤澀丹瘤瘮瘡瘍留毒少陰天下有餘過歲而復作布政天令酷災矣太陰不退位而取寒暑不時埃昏布作溫令不去民病四肢少力食飲

不下泄注淋滿足脛寒陰痿閉塞失溺小便
數太陰天下有餘過歲而猶尚治天其氣復下矣病至腎也少陽不退位
卽熱生於春暑迺後化冬温不凍流水不冰
蟄蟲出見民病少氣寒熱更作便血上熱小
腹堅滿小便赤沃甚則血溢少陽天數有餘至過歲猶治天
甚則氣復下其災至脾肺藏也陽明不退位卽春生清冷草
木晚榮寒熱間作民病嘔吐暴注食飲不下
大便乾燥四肢不舉目瞑掉眩陽明天數太過至交歲而

猶尚治天氣復降其災至甚於肝藏也帝曰天歲早晚余以知之願聞地數可得聞乎歧伯曰地下遷正升及退位不前之法即地土產化萬物失時之化也即應之生萬物之不時數無次序天令與民作災令乃於上下二干失移之中者也帝曰余聞天地二甲子十干十二支上下經緯天地數有迭移失守其位可得昭乎同天地二甲子有上下不合其德者為失守也歧伯曰失之迭位者謂雖得歲正未得正位之司即四時不節即生

大疫天地不合德即名天地失節即上下二管音不相應即大不主與天主失節上下失音萬物不安也注玄珠密語云陽年三十年除六年天刑計有太過二十四年除庚子庚午君火刑金運庚寅庚申相火刑金運戊戌戊辰太陽刑火運也此爲與其天地氣上臨中運不得太過者也除此六年皆作太過之用令不然之旨此即太過作陽年中運餘也忽有上下失支迭位故與不爲者也令言迭支迭位皆可作其不及也陽年者運太過也五音皆定矣太音也運自勝有餘而無邪傷故名正化疫也其剛干不相對柔干即上下不相招即陰陽相錯天地不合德中運

雖陽多而作太過故有勝復乃至者也假令甲子陽年土運太
窒土太過即運傷鱗蟲勝及腎藏氣不及土勝於水也即黃鍾之管音高故曰太窒也
候甲子之氣應者上應鎮星大而明也如癸亥天數有餘者年
雖交得甲子甲雖臨子未得遷正厥陰猶尚治天年雖甲子
司天尚化風冷厥陰猶復布政於天也地已遷正陽明在泉或名
司地即數高者去歲少陽以作右間癸亥司地少陽退位以作地下
之右間氣者也即厥陰之地陽明故不相和奉者也
故曰上下不相招陰陽有相錯即癸與已相對故天地不合德即以不合甲也癸巳

相會土運太過虛反受木勝故非太過也何以言土運太過況黃鍾不應太窒木旣勝而金還復金旣復而少陰如至卽木勝如火而金復微謂少陰見厥陰退位而少陰立至故金欲復而火至故復有少也如此則甲已失守後三年化成土疫晚至於卯甲子至丁卯四年至早至丙寅甲子至丙寅三年至土疫至也至於四維時也大小善惡推其天地詳乎太乙又只如甲子年如甲至子而合應交司而治天少陰至甲

子年司天遷正應時也卽下巳卯未遷正而戊寅少陽未退位者亦甲巳下有合也卽甲與戊相對子與寅配位也卽土運非太過而木乃乘虛而勝土也金次又行復勝之卽反邪化也卽勝之小而或不復後三年化癘名曰土癘其狀如土疫者本是自天來癘從地至故反化邪生也陰陽天地殊異爾故其大小善惡一如天地之法旨也假令丙寅陽年太過如乙丑天數有餘者雖交得丙寅雖丙得寅猶未遷正而作司天太陰尚治天也地已

遷正厥陰司地去歲太陽以作右間乙丑司地庚辰以退位而作右間即天太陰而地厥故地不奉天化也即上下不相招陰陽有相錯即辛與乙不相合故不合其德也乙辛相會水運太虛反受土勝故非太過即太簇之管太羽不應土勝而雨化水復即風即天地非其時而有其氣有化大疫即陰陽復不同也此者丙辛失守其會後三年化成水疫晚至己巳丙寅至己巳四年早至戊辰丙寅至戊辰三年甚即速微即徐徐至己巳水疫至

也大小善惡推其天地數乃太乙遊宮又只如丙寅年丙至寅且合應交司而治天少陽至而作司天應時遷正即辛巳未得遷正而庚辰太陽未退位者亦丙辛不合德也即丙與庚相對辰與寅相配位也即水運非太過也即水運亦小虛而小勝或有復丙寅至也即無復也後三年化癘名曰水癘其狀如水疫一名寒疫治法如前假令庚辰陽年太過如已卯天數有餘者雖交得庚辰年也雖庚臨辰猶未遷正陽明

猶尚治天地以遷正太陰司地即是在泉去歲少陰以作右間已卯年地甲子以退少陰作右間也即天陽明而地太陰也故地下奉天也乙巳相會金運太虛反受火勝故非太過也即姑洗之管太商不應火勝熱化水復寒刑此天地非時行不節之令即三年始成大疫行天下也此乙庚失守其後三年化成金疫也速至壬午庚辰至壬午三年是其速至徐至癸未金疫至也大小善惡推本年天數及太乙也疫至之年

又遇失守其災太也不見五福及其太乙且惡死人太半也如卻會合德者災小爾如見五福與其太乙者其災且小善減其半也又只如庚辰如庚至辰且應交司而治天太陽至庚辰年司天應時遷正而治天也即下乙未未得遷正者即地甲午少陰未退位者且乙庚不合德也即甲庚相對辰午相配此名失守非配太過即下乙未干失剛亦金運小虛也有小勝或無復太陰至未即不復也後三年化癘名曰金癘其狀如金疫也金疫又名殺疫金癘又名殺癘治法如前假令壬午

陽年太過如辛巳天數有餘者雖交後壬午年也雖壬午猶未遷正厥陰猶尚治天地已遷正陽明在泉丁酉治地去歲丙申少陽以作右間壬午年丁酉遷正辛巳年丙申退位也即天厥陰而地陽明故地不奉天者也即陽明當上奉少陰不與厥陰奉合也故丁酉與辛巳不相合德也丁辛相合會木運太虛反受金勝故非太過也即蕤賓之管太角不應金行燥勝火化熱復此天地非時行不節之氣即三年始成大疫甚即速微即徐速即

首尾三年徐即後三年作疫至大小善惡推疫至之年天數及太乙又只如壬至午且應交司而治之少陰壬至午年司天應時而遷正得位者即下丁酉未得遷正者即地下丙申少陽未得退位者見丁壬不合德也即壬丙相對午申相配此失守非合德見非太過也即丁柔干失剛亦木運小虛也有小勝小復陽明如至即不復也後三年化癘名曰木癘其狀如風疫法治如前可大吐而治之假令戊申陽年太過如丁未天數太

過者雖交得戊申年也雖戊臨申猶未遷正也太陰猶尚治天地巳遷正厥陰在泉癸亥治地去歲壬戌太陽巳退位作右間即天丁未地癸亥故地不奉天化也即厥陰當上奉少陽故不與太陰奉合故可未與癸亥不相合丁癸相會火運太虛反受火勝故非太過也即夷則之管上太徵不應非戊癸相合也故火運不應其夷則未應其徵也下管癸亥少徵應之即下見癸亥主司地故同聲之不相應即上下天地不相合德故不相應也此戊癸失守其會後三年化疫也

迺至庚戌首尾三年大小善惡推疫至之年天數及太乙又只如戊申如戊至申且應交司而治天少陽主戊申年司天應時遷正而治天也即下癸亥未得遷正者即地下壬戌太陽未退位者見戊癸未合德也即壬戌相對申戌相配此失守非合德又非太過即下癸柔干失剛見火運小虛也有小勝或無復也厥陰至即無復後三年化癘名曰火癘也治法如前治之法可寒之泄之已上五失守變五疫下五失守變五癘也即上剛柔

二干共主運有失支不守之者以此五法即諸陽年也黃帝曰人氣不足天氣如虛人神失守神光不聚邪鬼干人致有夭亡可得聞乎人氣與天氣同失守即鬼邪干人致死也歧伯曰人之五藏一藏不足又會天虛感邪之至也其不足之藏與天氣同聲虛也人憂愁思慮即傷心又或遇少陰司天天數不及太陰作接間至即謂天虛也此即人氣天氣同虛也又遇驚而奪精汗出於心大驚汗出於心即心中精脉減少故神失守心也因

而三虛神明失守先有勞神之病又遇少陰天數不及也又更驚而奪精此三會而神明失守也心爲君主之官神明出焉心先有病又遇天虛而感天重虛也心者任治於物故爲君主之官清靜棲靈故曰神明出焉神失守位即神遊上丹田在帝太乙帝君泥丸君下太乙帝君在頭曰泥丸君總衆神也君主之官神明失守其位遊於此處不守心位神既失守神光不聚神光即飛圓光也圓光不潔即圓光缺矣卽鬼邪陰尸干人却遇火不及之歲有黑尸鬼見之令人暴亡其火運不及非只癸年戊年失守亦然火司天數不及亦然也黑尸

鬼形如黒犬頭似婦人髮蓬不髻目大人見之吸人神魂皆作犬聲卒然而亡人飲食勞倦卽傷脾卽飲食飽舉房事卽氣滯於脾以勞役氣滿悶脾藏有病也又或遇太陰司天天數不及卽少陽作接間至卽謂之虛也人氣與天氣不及卽感天人氣虛及又虛也此卽人氣虛而天氣虛也又遇飲食飽甚汗出於胃醉飽行房汗出於脾脾胃汗出卽精血減少感天虛而作三虛脾神失守其位因而三虛脾神失守先有病於脾交遇天虛脾感天重虛又遇汗出而減其精血乃故名三虛也脾爲諫議之官智

周出焉脾者心之子心有所憶謂之意意中所出謂之智智周萬物謂之神卽脾胃神意智乃故失守其位者也神旣失守神光失位而不聚也神光不聚鬼乃干之却遇土不及之年或己年或甲年失守或太陰天虛青尸鬼見之令人卒亡人久坐濕地強力入水卽傷腎汗出於腎卽精血減少故作三虛卽精亡心神失守其位也腎爲作強之官伎巧出焉因而三虛腎神失守神志失位神光不聚神精志三神虛失位遊於黃庭司命君之下乃卽圓光缺矣却遇木不及之

年或辛不會符或丙年失守或太陽司天虛有黃尸鬼至見之令人暴亡有此三虛又遇水不及卽黃尸鬼干人牛頭身黃見之時吸人神魂皆暴亡也人或恚怒氣逆上而不下卽傷肝也又遇厥陰司天天數不及卽少陰作接間至是謂天虛也肝先病又遇天虛而感重虛也此謂天虛人虛也又遇疾走恐懼汗出於肝肝爲將軍之官謀慮出焉神位失守神光不聚神光不聚卽圓光缺而不冋尸鬼乃干人也又遇木不及年或

丁年不符或壬年失守或厥陰司天虛也有白尸鬼見之令人暴亡也有此三虛者即神遊失守白尸鬼干人頭如雞身白有白毛見之吸人神魂皆卒然而亡也已上五失守者天虛而人虛也神遊失守其位即有五尸鬼干人令人暴亡也謂之曰尸厥但卒然而亡口中無涎者舌卯卯縮者尸厥若出涎而舌卯者盛厥也人犯五神易位即神光不圓也非但尸鬼即一切邪犯者皆是神失守位故也神失守位雖具體中而二氣失位也即神光不聚而邪犯之有

妖魅交通往來皆是五神失守乃邪所至也此謂得守者生失守者死得守者本位而五神各得其居即神光乃圓明而聚矣故一切邪不犯之乃生也得神者昌失神者亡老子云氣來入身謂之生神去於身謂之死故曰命由神生命生神在若命生神去即命夭矣所謂神遊失守即不離身故不可便死也其主管在頭上三尊高位靈主言也即大乙帝君在頭曰泥丸總神也無英君左制三魂也白元君右倶七魄也即魂爲陽神也魄爲陰鬼也若無上三虛主之神離位者死今五神失守亦有主歸即神光不聚圓光亦缺故邪干犯之若神失守其位即知人生神昌

黃帝內經素問遺篇終